Take Me Through the Bible

WORD SEARCHES *for* KIDS

STEVE & BECKY MILLER

HARVEST HOUSE PUBLISHERS
Eugene, Oregon 97402

To Keith,
Nathan, and Ryan.
May you always enjoy
searching God's Word.

Acknowledgment

A special thanks to the terrific staff at Harvest House Publishers—all of whose names appear in the word searches in this book.

TAKE ME THROUGH THE BIBLE **WORD SEARCHES FOR KIDS**

Copyright © 1996 by Harvest House Publishers
Eugene, Oregon 97402

ISBN 1-56507-4610

97   98   99   00   01   02   /   BC   /   9   8   7   6   5   4   3

Introduction

Take Me Through the Bible **Word Searches for Kids** has more than 100 word searches that will take you all the way from the first book of the Bible to the last—from the seven days of creation to the incredible wonders of our future in heaven.

Before you begin a puzzle, you'll want to get your Bible and read the verses that are listed under the title at the top of the page. This will help you to learn the important stories and lessons in the Bible, and will make your word searching a lot more meaningful.

Remember that the words you are looking for can be hidden across, backwards, up, down, and diagonally in the puzzle. Here's a sample puzzle marked for you:

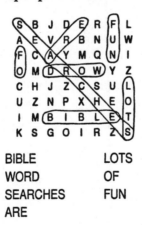

BIBLE	LOTS
WORD	OF
SEARCHES	FUN
ARE	

You'll want to share these word searches with your family and friends. They're great for party games, Sunday school classes, family gatherings, car trips . . . anytime you want to have a terrific time!

Happy Searching!
Steve & Becky Miller

The Old Testament

```
J E R E M I A H M Y       L R O N U M B E R S
S O C M Z H P R O V E R B S U A F W A P X O L M
J B C D R O V K L Y U Z Q H T R P S L M J T E L
U A L Y A S R Q U A F P N E H E M I A H O L V S
D D E U T E R O N O M Y D S A R O G C X N S I G
G I S A I A H T M D Z E P H A N I A H P A I T N
E A I M B Q T Y N I E L N A T S M Z I O H C I L
S H A B A K K U K A C O M T E S T H E R D L C G
J O S H U A I D W T H A G G A I L S P U S W U E
K O T A L S N A R Q A U H D L T J T J S L I S N
G L E R M B G N E U R T M A L I I G H R A P A E
I P S L J U S I K M I F E R C H R O N I C L E S
E X O D U S E E T L A N X A L V S E N R K W M I
D E Z E K I E L G R H R J S O N G O F S O N G S
```

GENESIS	NEHEMIAH	HOSEA
EXODUS	ESTHER	JOEL
LEVITICUS	JOB	AMOS
NUMBERS	PSALMS	OBADIAH
DEUTERONOMY	PROVERBS	JONAH
JOSHUA	ECCLESIASTES	MICAH
JUDGES	SONG OF SONGS	NAHUM
RUTH	ISAIAH	HABAKKUK
SAMUEL	JEREMIAH	ZEPHANIAH
KINGS	LAMENTATIONS	HAGGAI
CHRONICLES	EZEKIEL	ZECHARIAH
EZRA	DANIEL	MALACHI

In the Beginning . . .
Genesis 1-2

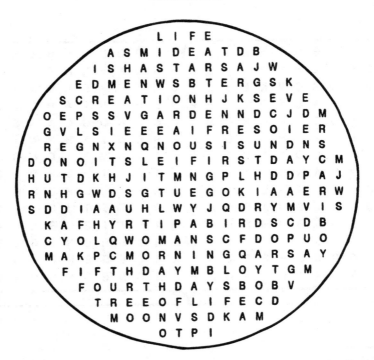

ADAM	FOURTH DAY	RIB
ANIMALS	GARDEN	SECOND DAY
BIRDS	GOD	SEVENTH DAY
CREATION	GROUND	SIXTH DAY
DARKNESS	HEAVEN	SKY
EARTH	IMAGE OF GOD	STARS
EDEN	IT WAS GOOD	SUN
EVE	LIFE	THIRD DAY
EVENING	LIGHT	TREE OF LIFE
FIFTH DAY	MAN	WOMAN
FIRST DAY	MOON	
FISH	MORNING	

6

The Garden of Eden
Genesis 3

```
            F A S
          H L O T D R
        S U T I B R L E N
      T G O D A D E B D C R
      I L Y F S G E T I W E
    G U S E Y E B O S I D S I
  A H R T R E E O F L I F E G V
  H R S F L A M I N G S W O R D A E
  Y E I T W E R T S O I T C P J D R
  S N G A R D E N O F E D E N A
  A R D E F M G D W A T N F M
  B U T H G P H A I T M T L
    R W L T A N G E L S
        E A R D
        V T S E
        E I T V
        R O M I
  G A D B W K M N A L D H F G
  V F A L L I N T O S I N L
```

ADAM	EVE	HIDE
ANGELS	FALL INTO SIN	SERPENT
BANISH	FLAMING SWORD	TEMPTATION
DECEIVE	FORBID	TREE OF GOOD AND EVIL
DIE	FRUIT	TREE OF LIFE
DISOBEY	GARDEN OF EDEN	WHERE ARE YOU
EAT	GOD	

Noah's Ark Adventure
Genesis 6:1–9:19

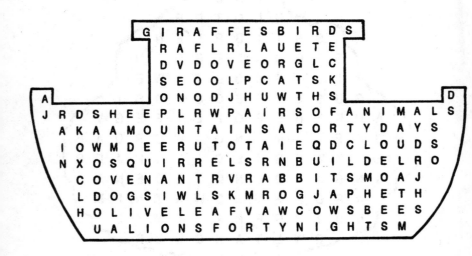

```
      G I R A F F E S B I R D S
        R A F L R L A U E T E
        D V D O V E O R G L C
        S E O O L P C A T S K
        O N O D J H U W T H S
A                                                    D
J R D S H E E P L R W P A I R S O F A N I M A L S
  A K A A M O U N T A I N S A F O R T Y D A Y S
  I O W M D E E R U T O T A I E Q D C L O U D S
  N X O S Q U I R R E L S R N B U I L D E L R O
  C O V E N A N T R V R A B B I T S M O A J
  L D O G S I W L S K M R O G J A P H E T H
  H O L I V E L E A F V A W C O W S B E E S
    U A L I O N S F O R T Y N I G H T S M
```

ARARAT	DOOR	NOAH
ARK	DOVE	OLIVE LEAF
BEARS	EARTH	PAIRS OF ANIMALS
BEES	ELEPHANT	RABBITS
BIRDS	ELK	RAIN
BUILD	FLOAT	RAINBOW
CATS	FLOODWATERS	RAVEN
CLOUDS	FORTY DAYS	SHEEP
COVENANT	FORTY NIGHTS	SHEM
COWS	GIRAFFES	SQUIRRELS
DECKS	JAPHETH	TURTLES
DEER	LIONS	WOOD
DOGS	MOUNTAINS	

God's Promise to Abraham
Genesis 12:1-9; 13:14-18; 15:1-6

```
M I H D O C A N D N B R T O D
P Q T L V M A B R A M J I M R
S W N E R A T N B L E S S G E
L R I A U B C N A T N E U N P
A E F V T C S O N A L R Q I D
N B M E Y V L R U R N M T R K
D H S A W E S T I N O S N P D
O C O U N T T H E S T A R S E
F H G B A I B T S A E R T F N
H I M S C Y E U B C N A Y F I
A L B O H K L O R D T I R O D
R D P R O M I S E D L A Ñ D A
A R T N T G E M T R A V E L N
N E A G I E V I R R A E A B J
V N L C G R E A T N A T I O N
```

ABRAM	COUNTRY	PROMISED LAND
ALTAR	EAST	SARAI
ARRIVE	GREAT NATION	SON
BELIEVE	LAND OF HARAN	SOUTH
BLESS	LEAVE	TENT
CANAAN	LORD	TRAVEL
CHILDREN	NORTH	WEST
COUNT THE STARS	OFFSPRING	

Abraham Becomes a Father
Genesis 17:1–18:19; 21:1-8

```
R  S  G  T  L  N  E  A  G  B  Y  H  A  M
H  F  O  E  K  A  C  J  L  L  I  B  G  O
S  V  D  T  N  P  N  A  D  E  G  O  J  T
Y  E  S  C  R  E  S  Y  K  S  A  R  A  H
B  D  P  J  A  I  R  S  R  E  E  N  F  E
D  Y  R  U  S  N  K  A  M  H  R  J  T  R
A  C  O  V  E  N  A  N  T  A  L  W  O  G
X  F  M  A  N  Y  N  A  T  I  O  N  S  D
L  A  I  C  Y  I  F  K  N  H  O  H  V  F
A  R  S  I  T  L  B  R  T  U  G  N  B  O
U  D  E  S  C  E  N  D  A  N  T  S  S  T
G  R  E  A  L  H  A  R  I  D  L  K  O  E
H  S  Y  A  J  I  O  L  D  R  J  N  B  N
Y  T  M  C  C  R  T  S  I  E  O  D  A  J
A  B  R  A  H  A  M  J  E  D  C  V  B  H
R  S  Y  M  N  V  E  N  I  N  E  T  Y  A
```

ABRAHAM	DESCENDANTS	MANY NATIONS
BABY	FATHER	MOTHER
BLESS	GENERATIONS	NINETY
BORN	GODS PROMISE	OLD
CANAAN	HUNDRED	SARAH
CHOSEN	ISAAC	SON
COVENANT	LAUGH	

A Wife for Isaac
Genesis 24

```
S J R I O C K G S Y N C
  C E D A B R A H A M
  R B S T E D R I N K
  V E E H T K E Y G I
R S K T A H N L L E W G
H M A I A U P A D L X J
L N A H O R E T T N E C H I
R S I T B N L U I S A A C B
I L D N R W E D V F C M Y R
J B E M A R R I E D U E R D
  D N T C J O P S W N L A
  N E Y E T N A V R E S M
  R T D L C G J L E D P T
W O M E N U T A W I F E
L R J T S R D B Y M U Y
  T Q S A J T A L I T
  S P J O U R N E Y G
  R Y I L P B H W A J
```

ABRAHAM	JAR	REBEKAH
ANGEL	JOURNEY	RELATIVES
BEAUTIFUL	LABAN	RUG
BETHUEL	MAIDEN	SERVANT
BRACELETS	MARRIED	WATER
CAMELS	NAHOR	WELL
DRINK	OATH	WIFE
ISAAC	PRAY	WOMEN

Twins Esau and Jacob

Genesis 25:24–27:40

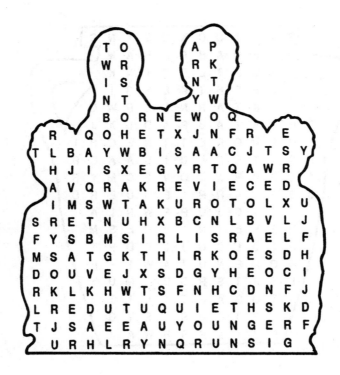

BIRTHRIGHT
BORN
DECEIVER
ESAU
HEEL
HAIRY
HUNTER

ISAAC
ISRAEL
JACOB
OLDER
QUIET
REBEKAH
RED

STEW
TWELVE SONS
TWIN BOYS
TWO NATIONS
YOUNGER

Joseph: From Slave to Ruler
Genesis 37, 39-50

```
J A C O B E S J O E R G R A I N R
R S W C R W T G M E G Y P T Y J Y
L V S T O R E H O U S E R H R S D
P I T N T L N M U A E N I E T E R
S Q N E H S O G R B R G S L A V E
W X A S E K U R N U V I O Q L E A
O P H A R A O H E N Y P N U V N M
C U C T S E C O N D R U L E R Y S
T Y R P O T I P H A R S W I F E M
A H E U D I T H I N C O W S T A P
F A M I N E W D M C H R B T I R O
S U O L A E J O S E P H D E R S E
```

ABUNDANCE	GRAIN	POTIPHARS WIFE
BROTHERS	JACOB	PRISON
COLORED ROBE	JEALOUS	SECOND RULER
DREAMS	JOSEPH	SEVEN YEARS
EGYPT	MERCHANTS	SLAVE
FAMINE	MOURN	STOREHOUSE
FAT COWS	PHARAOH	THIN COWS
GOSHEN	PIT	

The Baby in a Basket
Exodus 1:1–2:10

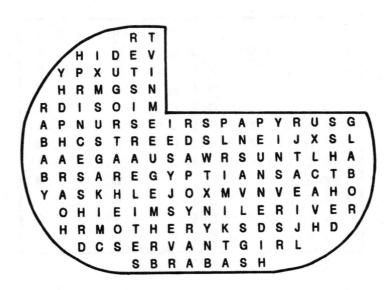

```
              R  T
        H  I  D  E  V
     Y  P  X  U  T  I
     H  R  M  G  S  N
  R  D  I  S  O  I  M
  A  P  N  U  R  S  E  I  R  S  P  A  P  Y  R  U  S  G
  B  H  C  S  T  R  E  E  D  S  L  N  E  I  J  X  S  L
  A  A  E  G  A  A  U  S  A  W  R  S  U  N  T  L  H  A
  B  R  S  A  R  E  G  Y  P  T  I  A  N  S  A  C  T  B
  Y  A  S  K  H  L  E  J  O  X  M  V  N  V  E  A  H  O
     O  H  I  E  I  M  S  Y  N  I  L  E  R  I  V  E  R
     H  R  M  O  T  H  E  R  Y  K  S  D  S  J  H  D
     D  C  S  E  R  V  A  N  T  G  I  R  L
        S  B  R  A  B  A  S  H
```

BABY	MOSES	PRINCESS
BASKET	MOTHER	REEDS
EGYPTIANS	NILE RIVER	SERVANT GIRL
HIDE	NURSE	SISTER
ISRAELITES	PAPYRUS	SLAVES
LABOR	PHARAOH	TAR
MIDWIVES	PITCH	

Israel's Escape from Egypt
Exodus 5-14

```
              L S
            N I L E
            A V A G
          V H E V Y D
        G N A S E P A R
        L O I T B T R E
      Q A B L O O D K D W
    P M A G I C I A N S L O
    L O R N S K L C E E L U
  R A S O A R E S U S A I F E
  M I G E N T A F I R S T B O R N
L O C U S T S E D P H A R A O H O S
D F L I E S S O L D I E R S U F A R G I
R O P A S S O V E R S N A K E S F L I S
S Y N M R L F U N L E A V E N E D B R E A D
```

AARON	HAIL	PLAGUES
BLOOD	ISRAEL	RED SEA
BOILS	LIVESTOCK	SLAVE
DARKNESS	LOCUSTS	SNAKES
EGYPT	MAGICIANS	SOLDIERS
FIRSTBORN	MOSES	STAFF
FLIES	NILE	UNLEAVENED BREAD
FROGS	PASSOVER	
GNATS	PHARAOH	

15

Forty Years in the Wilderness
Exodus, Leviticus, Numbers, Deuteronomy

```
        W N D E N L T M S R
        G Y S H C C L O U D
    F O R T Y Y E A R S T A J Y
    G S T E R S T M M E I P N Q
    R J B N K O Q P C S J N F U
    H O D C A L E B R L V G A A
    L S P O X K P I A M U O H I
    N H Y M C Y T W G R N L D L
    V U W M A N N A H Q B D Z W
    M A T A B E R N A C L E C J
    F D O N A V S D T L K N D E
    W I L D E R N E S S T C R K
    S J R M S X O R I S R A E L
    Q Y U E A I W N K C J L R W
    Y E P N W R S T A W U F R P
        E T O F F E R I N G
        V S R T W Q K X C Y
```

AARON	FORTY YEARS	QUAIL
ALTAR	GOLDEN CALF	SINAI
ARK	ISRAEL	TABERNACLE
CALEB	JOSHUA	TEN COMMANDMENTS
CAMP	MANNA	WANDER
CLOUD	MOSES	WILDERNESS
FIRE	OFFERING	

Entering the Promised Land
Joshua 1-6

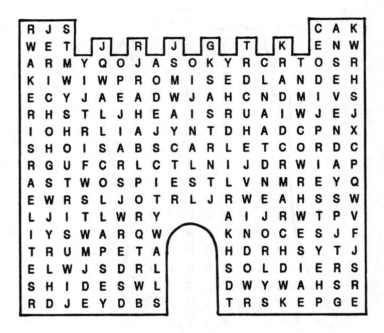

ARK
ARMY
CITY WALLS
HIDE
ISRAELITES
JERICHO
JORDAN RIVER
JOSHUA

MARCH
PRIESTS
PROMISED LAND
RAHAB
ROOF
ROPE
SCARLET CORD
SEVEN DAYS

SHOUT
SOLDIERS
TRUMPET
TWO SPIES
WALLS COLLAPSE
WINDOW

The Twelve Tribes
Joshua

```
            F Y O
        D H N R V D N
        A J A S U A W
      R T S P L D L E I
      Y W B H U C Q O J
    S U O L T E A N R H
    V P T V A M R P E K
    Z E B U L U N S I B
    I D P E I T S R F
    A S X P R A T E G
    W R S K N L P U R
    N I M A J N E B S
    L A M J C R D E O
    R K I H B H P N Y
    T S A E N G A D T
  C A D R C L S H R U
  D U V H K I D
A J E N P M H Y
  R T S E N T E
  L P O G A L T
  N J A U
  W I R
```

ASHER	GAD	NAPHTALI
BENJAMIN	JUDAH	REUBEN
DAN	ISSACHAR	SIMEON
EPHRAIM	MANASSEH	ZEBULUN

Delivering Israel from Her Enemies
Judges

```
L A I E N G E I H N W J X V U R
N E N A P G N E B R H E L O N Y
H R Z S I K P E S L E P T V I B
S B W Y P E R C I O B H E A U T
I R D J Y R O P U E T T R S Y G
U S T G L B N E R K Y H C O H D
R P E R I S U K D A S A N T L S
T U P E W D E B O R A H L I Y T
X T R S R T E L N A E W I M E O
A R E I O G M O D B P J B A W L
S I A Z E R H G N D E L N R H A
N J S G T L N E O R U O K P D E
J A Z R M B R P D Y S Z E R K P
Y R S Y U A I S B M T L N H E S
G D S O J E H G A R D I P J U K
R G A D S O J S E Y T A S I J D
```

ABDON

BARAK

DEBORAH

EHUD

ELON

GIDEON

IBZAN

JAIR

JEPHTHAH

OTHNIEL

SAMSON

SHAMGAR

TOLA

Gideon's Amazing Victory
Judges 6-8

```
R A M F T J C T G A D W S F R
S F G R O U N D S R H E G T D
C N D S R G C Z Y W J Y W L W
J I R T C A M P L A N G E L J I R W
D G J W H G J I B R W I Y D L S D R
T H R E E H U N D R E D R W S R T S
C T U R S T J Z W I G E J V I A Q W
I N W J M W G C L O A O W A N E B J
A D H G F A O I T R W N T G S L A I
S R V I C T O R Y S A H I F A I G D
G T W A G T L E D R D S A T J T O C
H F D I W A J U F S I J F L E E C E
        R T C R S T R U M P E T S L G
        S W K A M I A D T Y D F H C D
        T L N E D Y J W T I A S G M E
```

ANGEL	GIDEON	SWORD
ARMY	GROUND	THREE HUNDRED
ATTACK	ISRAELITES	TORCHES
CAMP	JARS	TRUMPETS
DEW	MIDIANITES	VICTORY
DRY	NIGHT	WARRIORS
FLEECE	SIGN	

Samson: The World's Strongest Man
Judges 13-16

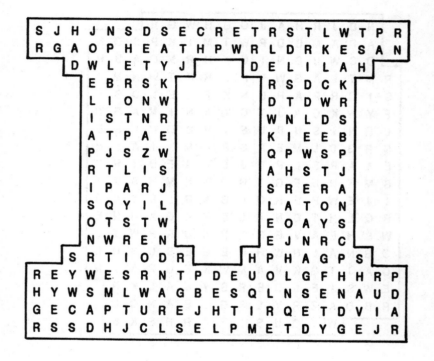

```
S  J  H  J  N  S  D  S  E  C  R  E  T  R  S  T  L  W  T  P  R
R  G  A  O  P  H  E  A  T  H  P  W  R  L  D  R  K  E  S  A  N
   D  W  L  E  T  Y  J        D  E  L  I  L  A  H
   E  B  R  S  K              R  S  D  C  K
   L  I  O  N  W              D  T  D  W  R
   I  S  T  N  R              W  N  L  D  S
   A  T  P  A  E              K  I  E  E  B
   P  J  S  Z  W              Q  P  W  S  P
   R  T  L  I  S              A  H  S  T  J
   I  P  A  R  J              S  R  E  R  A
   S  Q  Y  I  L              L  A  T  O  N
   O  T  S  T  W              E  O  A  Y  S
   N  W  R  E  N              E  J  N  R  C
   S  R  T  I  O  D  R     H  P  H  A  G  P  S
R  E  Y  W  E  S  R  N  T  P  D  E  U  O  L  G  F  H  H  R  P
H  Y  W  S  M  L  W  A  G  B  E  S  Q  L  N  S  E  N  A  U  D
G  E  C  A  P  T  U  R  E  J  H  T  I  R  Q  E  T  D  V  I  A
R  S  S  D  H  J  C  L  S  E  L  P  M  E  T  D  Y  G  E  J  R
```

ASLEEP	JAWBONE	RIDDLE
BEES	LION	SAMSON
CAPTURE	LONG HAIR	SECRET
DELILAH	NAZIRITE	SHAVE
DESTROY	PILLARS	STRONG
EYES	PRISON	TEMPLE
HONEY	PUSH	WEAK

21

Ruth: A Faithful Daughter-in-Law
Ruth

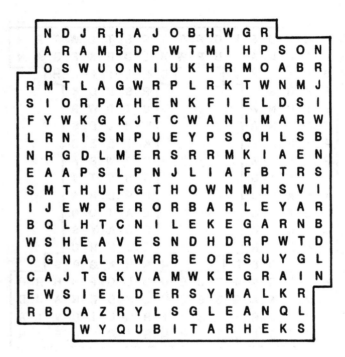

N	D	J	R	H	A	J	O	B	H	W	G	R	
A	R	A	M	B	D	P	W	T	M	I	H	P	S	O	N
O	S	W	U	O	N	I	U	K	H	R	M	O	A	B	R
R	M	T	L	A	G	W	R	P	L	R	K	T	W	N	M	J
S	I	O	R	P	A	H	E	N	K	F	I	E	L	D	S	I
F	Y	W	K	G	K	J	T	C	W	A	N	I	M	A	R	W
L	R	N	I	S	N	P	U	E	Y	P	S	Q	H	L	S	B
N	R	G	D	L	M	E	R	S	R	R	M	K	I	A	E	N
E	A	A	P	S	L	P	N	J	L	I	A	F	B	T	R	S
S	M	T	H	U	F	G	T	H	O	W	N	M	H	S	V	I
I	J	E	W	P	E	R	O	R	B	A	R	L	E	Y	A	R
B	Q	L	H	T	C	N	I	L	E	K	E	G	A	R	N	B
W	S	H	E	A	V	E	S	N	D	H	D	R	P	W	T	D
O	G	N	A	L	R	W	R	B	E	O	E	S	U	Y	G	L
C	A	J	T	G	K	V	A	M	W	K	E	G	R	A	I	N
E	W	S	I	E	L	D	E	R	S	Y	M	A	L	K	R
R	B	O	A	Z	R	Y	L	S	G	L	E	A	N	Q	L
	W	Y	Q	U	B	I	T	A	R	H	E	K	S	

BARLEY	HARVEST	RETURN TO ISRAEL
BETHLEHEM	I WILL GO	RUTH
BOAZ	KINSMAN REDEEMER	SANDAL
DAUGHTER IN LAW	MARRY	SERVANT GIRLS
ELDERS	MOAB	SHEAVES
FIELDS	NAOMI	SON
GLEAN	OBED	TOWN GATE
GRAIN	ORPAH	WHEAT

22

Job: From Sorrow to Joy
Job

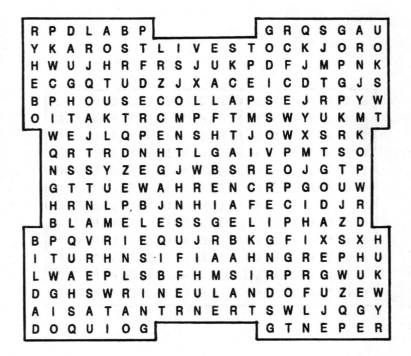

```
R P D L A B P       G R Q S G A U
Y K A R O S T L I V E S T O C K J O R O
H W U J H R F R S J U K P D F J M P N K
E C G Q T U D Z J X A C E I C D T G J S
B P H O U S E C O L L A P S E J R P Y W
O I T A K T R C M P F T M S W Y U K M T
  W E J L Q P E N S H T J O W X S R K
  Q R T R D N H T L G A I V P M T S O
  N S S Y Z E G J W B S R E O J G T P
  G T T U E W A H R E N C R P G O U W
  H R N L P B J N H I A F E C I D J R
  B L A M E L E S S G E L I P H A Z D
B P Q V R I E Q U J R B K G F I X S X H
I T U R H N S I F I A A H N G R E P H U
L W A E P L S B F H M S I R P R G W U K
D G H S W R I N E U L A N D O F U Z E W
A I S A T A N T R N E R T S W L J Q G Y
D O Q U I O G       G T N E P E R
```

BILDAD	JOB	SERVANTS
BLAMELESS	LAND OF UZ	SONS
CHALDEANS RAID	LIVESTOCK	SORES
DAUGHTERS	LORD	SUFFER
ELIPHAZ	NEW BLESSING	TRUST GOD
FIRE FROM SKY	REPENT	ZOPHAR
GOD IS SOVEREIGN	SABEANS ATTACK	
HOUSE COLLAPSE	SATAN	

23

Hannah Gives Samuel to God
1 Samuel 1-3

```
S  G  E  R  T  B  R  W  H  D  H  R  D  P  S  W  K  D
M  I  I  S  N  E  L  K  A  N  A  H  N  R  H  J  E  C
S  E  R  V  E  Q  M  H  R  G  N  S  W  T  I  L  R  S
V  R  S  I  E  J  S  P  S  B  N  E  Y  S  L  I  Y  A
L  P  T  J  U  S  H  R  L  I  A  T  J  A  O  S  T  M
H  E  A  R  D  V  O  I  C  E  H  P  C  C  H  T  R  U
S  N  L  J  Y  I  W  N  L  H  N  D  R  R  J  E  S  E
E  I  G  O  W  S  J  D  T  S  R  L  W  I  L  N  O  L
V  N  M  O  P  I  H  S  R  O  W  P  R  F  E  U  W  K
P  N  V  L  R  O  C  J  L  R  G  E  L  I  M  S  R  Y
T  A  C  W  A  N  M  E  B  J  N  O  Y  C  P  H  T  W
R  H  O  A  Y  P  R  O  P  H  E  T  D  E  U  K  A  P
```

ELI	LORD CALLED	SAMUEL
ELKANAH	PENINNAH	SERVE
GIVE SON TO GOD	PRAY	SHILOH
HANNAH	PRIEST	TEMPLE
HEARD VOICE	PROPHET	VOW
LISTEN	SACRIFICE	WORSHIP

Saul: Israel's First King
1 Samuel 8-15

```
H  R  S  D  H  B  G  L  F  R  W  S  E  J  U  H  R  V
S  E  T  G  S  A  M  U  E  L  R  A  T  R  J  S  D  G
C  I  L  Y  R  O  F  P  S  Y  S  U  R  D  W  I  H  I
G  G  J  T  L  C  L  W  T  J  Y  L  O  H  R  L  U  B
R  N  O  S  E  J  E  D  L  N  T  G  N  E  A  O  K  E
H  A  N  D  S  O  M  E  I  E  Y  J  O  G  M  O  I  A
B  P  A  L  R  G  I  Q  D  E  I  W  L  N  A  F  U  H
C  S  T  W  C  E  P  R  B  N  R  I  P  I  L  T  B  X
O  J  H  I  K  E  J  O  A  M  G  S  N  E  E  S  E  R
N  A  A  T  M  R  S  E  O  F  I  R  S  T  K  I  N  G
Q  R  N  J  H  I  K  S  C  J  T  U  W  N  I  Y  J  H
U  F  E  O  D  G  W  P  M  T  L  J  R  P  T  R  A  R
E  D  J  L  I  P  H  I  L  I  S  T  I  N  E  S  M  A
R  I  U  S  E  N  P  J  H  G  R  A  K  E  S  J  I  D
T  A  W  P  L  E  T  F  G  U  H  L  U  D  R  L  T  X
S  B  E  C  I  F  I  R  C  A  S  L  E  L  J  N  E  C
```

AMALEKITES	GILGAL	SAMUEL
ANOINT	GOD REJECT SAUL	SAUL
BENJAMITE	HANDSOME	SAUL DISOBEY GOD
CONQUER	JONATHAN	SOLDIERS
FIRST KING	PHILISTINES	TALL
FOOLISH	REIGN	
GIBEAH	SACRIFICE	

David: Chosen by God
1 Samuel 16

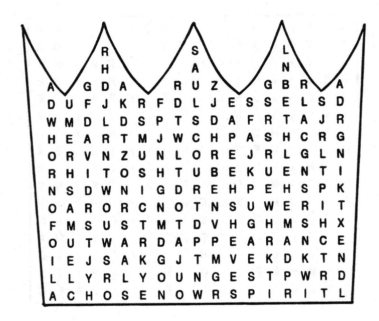

```
        R       S           L
        H       A           N
A   G D A     R U Z     G B R   A
D U F J K R F D L J E S S E L S D
W M D L D S P T S D A F R T A J R
H E A R T M J W C H P A S H C R G
O R V N Z U N L O R E J R L G L N
R H I T O S H T U B E K U E N T I
N S D W N I G D R E H P E H S P K
O A R O R C N O T N S U W E R I T
F M S U S T M T D V H G H M S H X
O U T W A R D A P P E A R A N C E
I E J S A K G J T M V E K D K T N
L L Y R L Y O U N G E S T P W R D
A C H O S E N O W R S P I R I T L
```

ANOINT	HORN OF OIL	SHEEP
ARMOR BEARER	JESSE	SHEPHERD
BETHLEHEM	MUSIC	SONS
CHOSEN	NEXT KING	SPIRIT
DAVID	OUTWARD APPEARANCE	YOUNGEST
HARP	SAMUEL	
HEART	SAULS COURT	

Young David Meets a Giant
1 Samuel 17

```
S H I D C V M K S R F G R
R Q A X B A F D G I B O I A J
L S T R E A M S A I B S R S G D T
G I W M B D P O U C H R E I P H S
R S T O L N E H F M D T H B F C T
Y D P R R Y O L I G I F E P W Y D
A F R A I D J K V L S I A E C O R
L R B H J K C W E R I D D A V I D
S Y D O W I B A S R D S A G O R A
L U T F A E R M T E S T T E R K H
T S G S U S M K O B P R E I R U E
S G O L I A T H N E J U D C N W N
R Y R I Y U E R E A Q C R S Y E J
E R S N A L R D S N Y K B M P C S
  T A G I A N T R S T R R U E G
  Y W K T V C S F I A S I M
```

AFRAID	FIVE STONES	SAUL
ARMOR	FOREHEAD	SLAY
ARMY	GIANT	SLING
BOAST	GOLIATH	STREAM
CAMP	ISRAELITES	STRUCK
DAVID	PHILISTINES	SWORD
FIGHT	POUCH	

David: The King Who Loved God
2 Samuel; 1 Chronicles 10-29

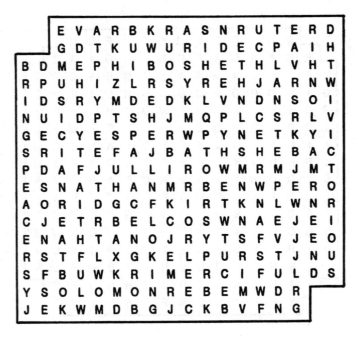

```
        E  V  A  R  B  K  R  A  S  N  R  U  T  E  R  D
        G  D  T  K  U  W  U  R  I  D  E  C  P  A  I  H
  B  D  M  E  P  H  I  B  O  S  H  E  T  H  L  V  H  T
  R  P  U  H  I  Z  L  R  S  Y  R  E  H  J  A  R  N  W
  I  D  S  R  Y  M  D  E  D  K  L  V  N  D  N  S  O  I
  N  U  I  D  P  T  S  H  J  M  Q  P  L  C  S  R  L  V
  G  E  C  Y  E  S  P  E  R  W  P  Y  N  E  T  K  Y  I
  S  R  I  T  E  F  A  J  B  A  T  H  S  H  E  B  A  C
  P  D  A  F  J  U  L  L  I  R  O  W  M  R  M  J  M  T
  E  S  N  A  T  H  A  N  M  R  B  E  N  W  P  E  R  O
  A  O  R  I  D  G  C  F  K  I  R  T  K  N  L  W  N  R
  C  J  E  T  R  B  E  L  C  O  S  W  N  A  E  J  E  I
  E  N  A  H  T  A  N  O  J  R  Y  T  S  F  V  J  E  O
  R  S  T  F  L  X  G  K  E  L  P  U  R  S  T  J  N  U
  S  F  B  U  W  K  R  I  M  E  R  C  I  F  U  L  D  S
  Y  S  O  L  O  M  O  N  R  E  B  E  M  W  D  R
  J  E  K  W  M  D  B  G  J  C  K  B  V  F  N  G
```

BATHSHEBA	JERUSALEM	PLANS TEMPLE
BRAVE	JONATHAN	PSALMIST
BRINGS PEACE	KING	RETURNS ARK
BUILDS PALACE	MEPHIBOSHETH	SOLOMON
CONFESSES SIN	MERCIFUL	VICTORIOUS
DAVID	MUSICIAN	WARRIOR
FAITHFUL	NATHAN	

Songs to the Lord
Psalms

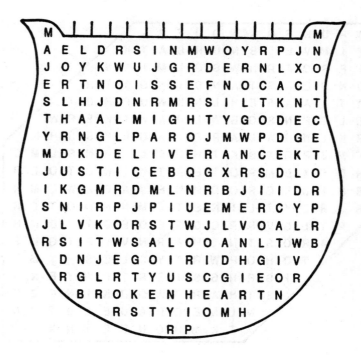

```
M                                             M
  A E L D R S I N M W O Y R P J N
  J O Y K W U J G R D E R N L X O
  E R T N O I S S E F N O C A C I
  S L H J D N R M R S I L T K N T
  T H A A L M I G H T Y G O D E C
  Y R N G L P A R O J M W P D G E
  M D K D E L I V E R A N C E K T
  J U S T I C E B Q G X R S D L O
  I K G M R D M L N R B J I I D R
  S N I R P J P I U E M E R C Y P
  J L V K O R S T W J L V O A L R
  R S I T W S A L O O A N L T W B
    D N J E G O I R I D H G I V
    R G L R T Y U S C G I E O R
    B R O K E N H E A R T N
      R S T Y I O M H
          R P
```

ALMIGHTY GOD	GLORY	POWER
BLESSING	HALLELUJAH	PROTECTION
BROKEN HEART	JOY	REJOICE
CONFESSION	JUSTICE	THANKSGIVING
DEDICATION	MAJESTY	WORSHIP
DELIVERANCE	MERCY	
DEVOTION	PRAISE	

The Great Wisdom of Solomon
Ecclesiastes, Proverbs, Song of Songs

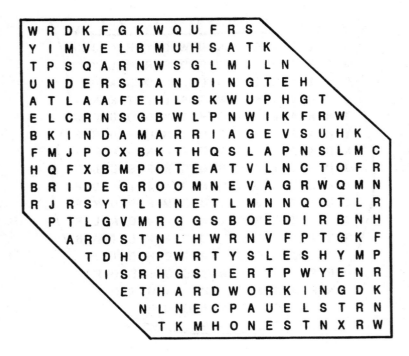

ALL IS VANITY	HARD WORKING	RIGHTEOUS
BEAUTY	HONEST	SONG
BRIDE	HUMBLE	STRONG
BRIDEGROOM	KIND	TRUE
FAITHFUL	LOVE	TRUSTWORTHY
FEAR AND OBEY GOD	MARRIAGE	UNDERSTANDING
GENTLE	PATIENT	WISE

Building a Temple for God
2 Chronicles 2-7

```
F  S  G  W  B  N  D  C  M  T  S  G  Y  P  S  L  Y  H
R  E  T  B  O  W  L  S  G  C  E  D  A  R  N  G  R  W
M  N  H  L  P  O  W  T  S  R  I  C  A  M  U  D  L  U
D  O  F  R  M  R  D  H  D  C  M  L  D  I  S  H  E  S
P  T  U  E  O  J  L  R  A  T  L  A  K  G  Y  S  P  C
R  S  Q  N  S  K  E  Q  V  I  J  M  H  W  E  T  D  H
H  W  S  B  T  Y  G  J  P  M  X  P  F  N  C  O  U  N
I  Y  K  A  H  M  H  Y  Q  P  Y  S  O  X  Y  N  A  S
K  C  F  S  O  L  O  M  O  N  H  T  A  B  L  E  S  D
Q  U  I  W  L  E  I  R  W  O  S  A  E  E  G  C  Y  T
L  R  H  O  Y  N  F  P  I  S  G  N  J  P  M  U  A  R
Y  T  E  M  P  L  E  F  U  A  M  D  K  B  D  T  A  W
W  A  T  N  L  T  P  O  K  I  H  L  E  R  M  T  D  A
E  I  S  B  A  S  I  N  S  D  R  A  V  O  L  E  N  P
G  N  D  I  C  C  R  A  F  T  S  M  E  N  J  R  E  O
O  R  A  T  E  S  O  G  R  J  V  Y  R  Z  H  S  R  K
L  J  U  R  P  R  N  U  K  S  I  L  V  E  R  U  B  L
D  R  P  S  K  T  L  Y  J  G  L  P  S  W  E  M  P  Y
```

ALTAR
ARK
BASINS
BOWLS
BRONZE
CEDAR
CRAFTSMEN
CURTAIN

DISHES
GOLD
IRON
LAMPSTAND
MOST HOLY PLACE
MOUNT MORIAH
PILLARS
PRECIOUS STONES

SILVER
SOLOMON
STONECUTTERS
STONES
TABLES
TEMPLE
WOOD

31

The Ministry of Elijah
1 Kings 17-22; 2 Kings 1-2

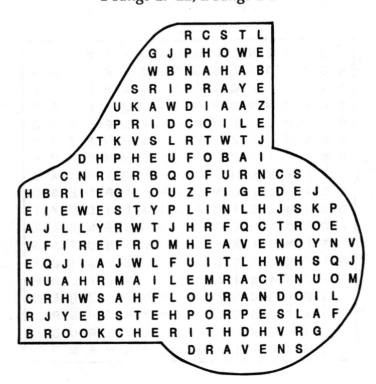

AHAB	FIRE FROM HEAVEN	RAIN
ALTAR	FLOUR AND OIL	RAISE BOY TO LIFE
BAAL	HEAVEN	RAVENS
BROOK CHERITH	HORSES	THREE YEARS
CHARIOT OF FIRE	JEZEBEL	WHIRLWIND
DROUGHT	MOUNT CARMEL	WIDOW AND SON
ELIJAH	PRAY	
FALSE PROPHETS	PROPHET	

The Ministry of Elisha
1 Kings 19; 2 Kings 2-13

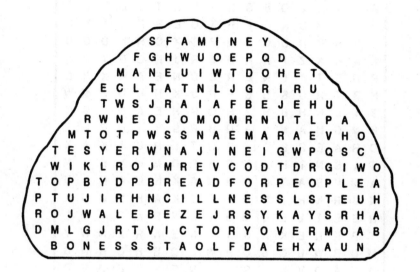

```
              S F A M I N E Y
            F G H W U O E P Q D
        M A N E U I W T D O H E T
      E C L T A T N L J G R I R U
      T W S J R A I A F B E J E H U
    R W N E O J O M O M R N U T L P A
  M T O T P W S S N A E M A R A E V H O
T E S Y E R W N A J I N E I G W P Q S C
W I K L R O J M R E V C O D T D R G I W O
T O P B Y D P B R E A D F O R P E O P L E A
P T U J I R H N C I L L N E S S L S T E U H
R O J W A L E B E Z E J R S Y K A Y S R H A
D M L G J R T V I C T O R Y O V E R M O A B
  B O N E S S S T A O L F D A E H X A U N
```

AHAB
ARAMEANS
AXHEAD FLOATS
BONES
BREAD FOR PEOPLE
DOUBLE PORTION
ELISHA
FALSE PROPHETS

FAMINE
HEALED WATER
ILLNESS
JARS
JEHU
JEZEBEL
LEPROSY
MAN OF GOD

NAAMAN
POISON STEW
SHUNAMMITES SON
TOMB
VICTORY OVER MOAB
WIDOWS OIL

Israel Divided: Kings of the North
1 & 2 Kings

```
R  S  T  K  L  O  B  S  N  Z  P  A  T  J  D  R  E  D
D  N  L  M  D  A  E  V  R  K  O  E  B  E  L  A  H  G
U  V  B  R  H  D  C  P  Q  Z  T  X  C  H  K  D  G  U
L  A  H  A  Z  I  A  H  D  J  R  J  K  O  G  Y  M  N
P  R  S  T  A  L  N  E  R  E  D  N  E  A  W  X  R  D
H  Z  T  H  C  S  D  B  E  R  U  K  N  H  D  G  M  W
Z  I  D  R  H  B  H  Z  H  O  S  H  E  A  O  L  S  Q
E  M  C  H  A  M  V  A  G  B  R  S  Y  Z  D  R  H  Z
O  R  A  E  R  B  I  R  S  O  T  L  N  C  I  K  A  X
T  I  B  N  I  H  J  E  C  A  R  D  M  W  Y  E  L  M
A  M  V  S  A  T  E  D  R  M  A  K  N  U  W  R  L  U
N  J  R  K  H  I  H  N  E  P  E  K  A  H  R  Q  U  K
R  S  E  T  L  E  O  M  R  I  C  N  D  M  D  I  M  L
T  P  K  H  E  K  A  S  T  L  N  E  A  R  A  M  W  V
M  U  B  W  U  C  S  O  P  W  L  Q  B  H  C  R  H  G
D  T  A  Q  V  M  H  S  T  L  N  E  R  S  E  O  E  D
F  R  S  T  K  N  M  R  J  E  R  O  B  O  A  M  I  I
```

AHAB	JEHORAM	PEKAH
AHAZIAH	JEHU	PEKAHIAH
BAASHA	JEROBOAM	SHALLUM
ELAH	JEROBOAM II	TIBNI
HOSHEA	MENAHEM	ZACHARIAH
JEHOAHAZ	NADAB	ZIMRI
JEHOASH	OMRI	

Israel Divided: Kings of the South
1 & 2 Kings, 2 Chronicles

ABIJAH

AHAZ

AHAZIAH

AMAZIAH

AMON

ASA

HEZEKIAH

JEHOAHAZ

JEHOIACHIN

JEHOIAKIM

JEHORAM

JEHOSHAPHAT

JOASH

JOSIAH

JOTHAM

MANASSEH

QUEEN ATHALIAH

REHOBOAM

UZZIAH

ZEDEKIAH

```
R T A N H T L N R A S A L H R M D E
S L H S L S R R W K P B Q G E A I L
T S A R D M H E Z E K I A H R N G L
L O Z C J I D H S N P J O T H A M P
J R I K T E Q O M T L A E Q U S L B
A M A Z I A H B G R E H D U P S B R
N E H W R D S O H L M N R E D E A H
J D R S T L N A S R I S C E P H M E
E W K R D P I M T H R C D N A R E K
H R S N T Z L N C E A D X A H A Z T
O B O W Z R F A R L B P K T E L E S
I M D U J C I P W Q R E H H N R D R
A R D A K O L O J E H O R A M B E L
K E A J H O S Z J H Q U R L T C K J
I R D E Q Y U I M R O T Z I E N I T
M A J E H O A H A Z R S F A L N A L
E R S U M E S R T H K W Q H R S H V
```

The Coming Messiah
Isaiah 7:14; 9:6-7

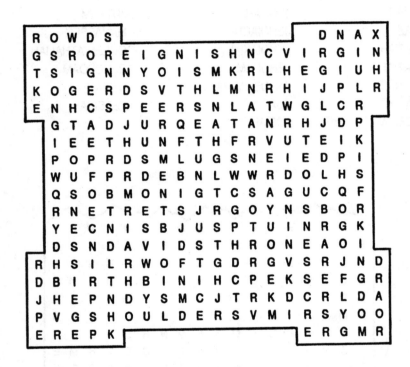

R	O	W	D	S										D	N	A	X		
G	S	R	O	R	E	I	G	N	I	S	H	N	C	V	I	R	G	I	N
T	S	I	G	N	N	Y	O	I	S	M	K	R	L	H	E	G	I	U	H
K	O	G	E	R	D	S	V	T	H	L	M	N	R	H	I	J	P	L	R
E	N	H	C	S	P	E	E	R	S	N	L	A	T	W	G	L	C	R	
	G	T	A	D	J	U	R	Q	E	A	T	A	N	R	H	J	D	P	
	I	E	E	T	H	U	N	F	T	H	F	R	V	U	T	E	I	K	
	P	O	P	R	D	S	M	L	U	G	S	N	E	I	E	D	P	I	
	W	U	F	P	R	D	E	B	N	L	W	W	R	D	O	L	H	S	
	Q	S	O	B	M	O	N	I	G	T	C	S	A	G	U	C	Q	F	
	R	N	E	T	R	E	T	S	J	R	G	O	Y	N	S	B	O	R	
	Y	E	C	N	I	S	B	J	U	S	P	T	U	I	N	R	G	K	
	D	S	N	D	A	V	I	D	S	T	H	R	O	N	E	A	O	I	
R	H	S	I	L	R	W	O	F	T	G	D	R	G	V	S	R	J	N	D
D	B	I	R	T	H	B	I	N	I	H	C	P	E	K	S	E	F	G	R
J	H	E	P	N	D	Y	S	M	C	J	T	R	K	D	C	R	L	D	A
P	V	G	S	H	O	U	L	D	E	R	S	V	M	I	R	S	Y	O	O
E	R	E	P	K										E	R	G	M	R	

BIRTH	IMMANUEL	RIGHTEOUSNESS
CHILD	JUSTICE	SHOULDER
DAVIDS THRONE	KINGDOM	SIGN
EVERLASTING FATHER	MIGHTY GOD	SON
FOREVER	PRINCE OF PEACE	VIRGIN
GOVERNMENT	REIGN	WONDERFUL COUNSELOR

God's Judgment Against the Nations
Isaiah 13-23; Ezekiel 25-32

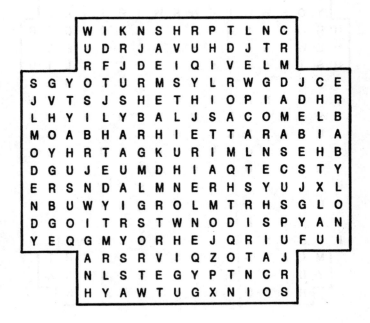

```
        W I K N S H R P T L N C
        U D R J A V U H D J T R
        R F J D E I Q I V E L M
S G Y O T U R M S Y L R W G D J C E
J V T S J S H E T H I O P I A D H R
L H Y I L Y B A L J S A C O M E L B
M O A B H A R H I E T T A R A B I A
O Y H R T A G K U R I M L N S E H B
D G U J E U M D H I A Q T E C S T Y
E R S N D A L M N E R H S Y U J X L
N B U W Y I G R O L M T R H S G L O
D G O I T R S T W N O D I S P Y A N
Y E Q G M Y O R H E J Q R I U F U I
        A R S R V I Q Z O T A J
        N L S T E G Y P T N C R
        H Y A W T U G X N I O S
```

AMMON	EDOM	PHILISTIA
ARABIA	EGYPT	SIDON
ASSYRIA	ETHIOPIA	TYRE
BABYLON	JUDAH	
DAMASCUS	MOAB	

37

Isaiah Describes the Future
Isaiah 62-66

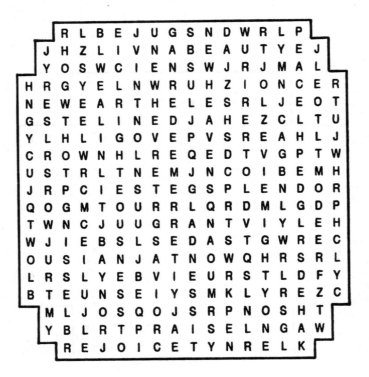

```
R L B E J U G S N D W R L P
J H Z L I V N A B E A U T Y E J
Y O S W C I E N S W J R J M A L
H R G Y E L N W R U H Z I O N C E R
N E W E A R T H E L E S R L J E O T
G S T E L I N E D J A H E Z C L T U
Y L H L I G O V E P V S R E A H L J
C R O W N H L R E Q E D T V G P T W
U S T R L T N E M J N C O I B E M H
J R P C I E S T E G S P L E N D O R
Q O G M T O U R R L Q R D M L G D P
T W N C J U U G R A N T V I Y L E H
W J I E B S L S E D A S T G W R E C
O U S I A N J A T N O W Q H R S R L
L R S L Y E B V I E U R S T L D F Y
B T E U N S E I Y S M K L Y R E Z C
M L J O S Q O J S R P N O S H T
Y B L R T P R A I S E L N G A W
R E J O I C E T Y N R E L K
```

BEAUTY	JERUSALEM	PRAISE
BLESSING	JOY	REDEEMER
CROWN	LIGHT	REJOICE
EVERLASTING	LORD	RIGHTEOUSNESS
FREEDOM	MIGHTY ONE	SAVIOR
GLADNESS	NEW EARTH	SPLENDOR
GLORIOUS TEMPLE	NEW HEAVENS	ZION
HEALING	PEACE	

Babylon Captures Jerusalem
Jeremiah 25:1-14; 39; 52

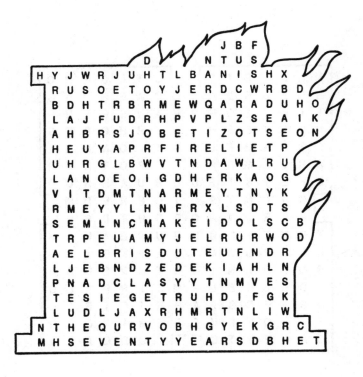

					J	B	F								
			D		N	T	U	S							
H	Y	J	W	R	J	U	H	T	L	B	A	N	I	S	H	X
R	U	S	O	E	T	O	Y	J	E	R	D	C	W	R	B	D
B	D	H	T	R	B	R	M	E	W	Q	A	R	A	D	U	H	O
L	A	J	F	U	D	R	H	P	V	P	L	Z	S	E	A	I	K
A	H	B	R	S	J	O	B	E	T	I	Z	O	T	S	E	O	N
H	E	U	Y	A	P	R	F	I	R	E	L	I	E	T	P
U	H	R	G	L	B	W	V	T	N	D	A	W	L	R	U
L	A	N	O	E	O	I	G	D	H	F	R	K	A	O	G
V	I	T	D	M	T	N	A	R	M	E	Y	T	N	Y	K
R	M	E	Y	Y	L	H	N	F	R	X	L	S	D	T	S
S	E	M	L	N	C	M	A	K	E	I	D	O	L	S	C	B
T	R	P	E	U	A	M	Y	J	E	L	R	U	R	W	O	D
A	E	L	B	R	I	S	D	U	T	E	U	F	N	D	R
L	J	E	B	N	D	Z	E	D	E	K	I	A	H	L	N
P	N	A	D	C	L	A	S	Y	Y	T	N	M	V	E	S
T	E	S	I	E	G	E	T	R	U	H	D	I	F	G	K
L	U	D	L	J	A	X	R	H	M	R	T	N	L	I	W
N	T	H	E	Q	U	R	V	O	B	H	G	Y	E	K	G	R	C
M	H	S	E	V	E	N	T	Y	Y	E	A	R	S	D	B	H	E	T

ARMY	FAMINE	RUIN
BABYLON	FIRE	SCORN
BANISH	HORROR	SEVENTY YEARS
BURN TEMPLE	JEREMIAH	SIEGE
CAPTIVITY	JERUSALEM	WASTELAND
DESTROY	JUDAH	WORD OF THE LORD
EVIL WAYS	MAKE IDOLS	ZEDEKIAH
EXILE	NEBUCHADNEZZAR	

Jeremiah Mourns for God's People
Lamentations

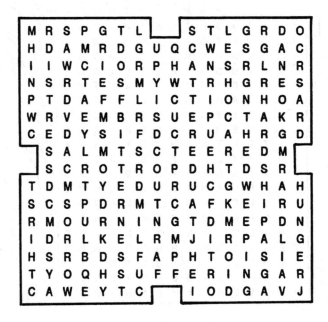

```
M R S P G T L     S T L G R D O
H D A M R D G U Q C W E S G A C
I I W C I O R P H A N S R L N R
N S R T E S M Y W T R H G R E S
P T D A F F L I C T I O N H O A
W R V E M B R S U E P C T A K R
C E D Y S I F D C R U A H R G D
  S A L M T S C T E E R E D M
  S C R O T R O P D H T D S R
T D M T Y E D U R U C G W H A H
S C S P D R M T C A F K E I R U
R M O U R N I N G T D M E P D N
I D R L K E L R M J I R P A L G
H S R B D S F A P H T O I S I E
T Y O Q H S U F F E R I N G A R
C A W E Y T C   I O D G A V J
```

AFFLICTION	HARDSHIP	SORROW
BITTERNESS	HUNGER	SUFFERING
DEATH	MOURNING	TERROR
DESTRUCTION	ORPHANS	THIRST
DISTRESS	PAIN	WEARY
GRIEF	SCATTERED	WEEPING

Nebuchadnezzar's Dream About the Future
Daniel 2

```
T S U J R L W E S Q U M F C N R
P W A K V E W I R M O R E V E A L D
H D I R C D J S T A L K D Z W E R I
R O M E X O V E M S P R N E U I T K
D C E W F Y R M Y H Q O U C D L O G
E R Q N E P D E V J R W J N S E R C
G I N L R E K N L B G D L P M I K O
Y R C E M R H O M E D O P E R S I A
K O T N B V O P E L M Q G U A R N W
T N M L E U R I W L C O R L D E G J
I A B E R G C E K Y S R U T N H D R
J N H G B E Y H J A U R L N A E O L
R D E S D R H O A N E E A V T L M H
V C S D E L V R H D R E A M S A S E
G L C T R H E A D T N N D R E J I K
E A S G A V T H W H J E B E H N L N
V Y G R K T Y H E I C R Z P C W V R
M D H I E D U R B G R H E Z T E E Y
B A B Y L O N E R H Y O S T A L R M
R T G C W U I L S N R N K D R J
```

BABYLON	INTERPRET	REVEAL
BELLY AND THIGHS	IRON	ROCK
BRONZE	IRON AND CLAY	ROME
CHEST AND ARMS	KINGDOMS	SILVER
DREAM	LEGS	SMASH
FEET	MEDO PERSIA	STATUE
GOLD	MOUNTAIN	WISE MEN
GREECE	MYSTERY	
HEAD	NEBUCHADNEZZAR	

41

Daniel's Three Friends in the Furnace
Daniel 3

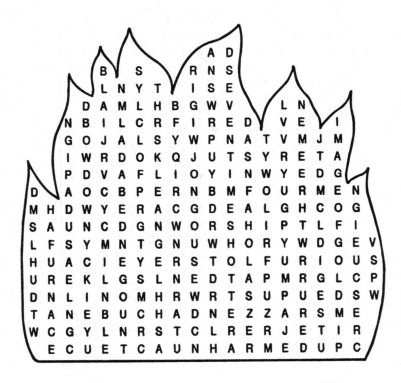

ABEDNEGO
ALL KINDS OF MUSIC
ANGEL
BIND
BOW DOWN
FIRE
FOUR MEN

FURIOUS
FURNACE
IMAGE OF GOLD
MESHACH
NEBUCHADNEZZAR
RESCUE
SEVEN TIMES HOTTER

SHADRACH
THREE MEN
UNHARMED
WALKING AROUND
WORSHIP

A Night with the Lions
Daniel 6

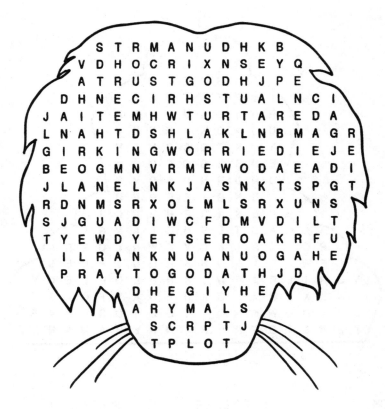

```
    S T R M A N U D H K B
  V D H O C R I X N S E Y Q
    A T R U S T G O D H J P E
  D H N E C I R H S T U A L N C I
J A I T E M H W T U R T A R E D A
L N A H T D S H L A K L N B M A G R
G I R K I N G W O R R I E D I E J E
B E O G M N V R M E W O D A E A D I
J L A N E L N K J A S N K T S P G T
R D N M S R X O L M L S R X U N S
S J G U A D I W C F D M V D I L T
T Y E W D Y E T S E R O A K R F U
I L R A N K N U A N U O G A H E
P R A Y T O G O D A T H J D
      D H E G I Y H E
      A R Y M A L S
      S C R P T J
      T P L O T
```

ANGEL	LIONS DEN	PRAY TO KING
DANIEL	MORNING	SHUT LIONS MOUTHS
DARIUS	NEW LAW	THREE TIMES A DAY
ENEMIES	NIGHT	TRUST GOD
INNOCENT	PLOT	UNHARMED
KING WORRIED	PRAY TO GOD	

The Queen Who Saved God's People
Esther

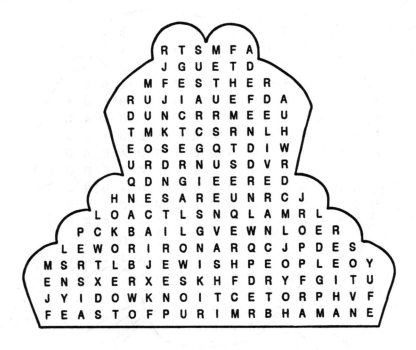

			R	T	S	M	F	A							
			J	G	U	E	T	D							
			M	F	E	S	T	H	E	R					
		R	U	J	I	A	U	E	F	D	A				
		D	U	N	C	R	R	M	E	E	U				
		T	M	K	T	C	S	R	N	L	H				
		E	O	S	E	G	Q	T	D	I	W				
		U	R	D	R	N	U	S	D	V	R				
		Q	D	N	G	I	E	E	R	E	D				
	H	N	E	S	A	R	E	U	N	R	C	J			
	L	O	A	C	T	L	S	N	Q	L	A	M	R	L	
P	C	K	B	A	I	L	G	V	E	W	N	L	O	E	R
L	E	W	O	R	I	R	O	N	A	R	Q	C	J	P	D	E	S
M	S	R	T	L	B	J	E	W	I	S	H	P	E	O	P	L	E	O	Y
E	N	S	X	E	R	X	E	S	K	H	F	D	R	Y	F	G	I	T	U
J	Y	I	D	O	W	K	N	O	I	T	C	E	T	O	R	P	H	V	F
F	E	A	S	T	O	F	P	U	R	I	M	R	B	H	A	M	A	N	E

ATTACK	FIRST DECREE	PROTECTION
BANQUET	GALLOWS	QUEEN VASHTI
DEFEND	HAMAN	REQUEST
DELIVERANCE	JEWISH PEOPLE	SECOND DECREE
ESTHER	KINGS RING	SUSA
EVIL PLAN	MORDECAI	XERXES
FEAST OF PURIM	PERSIA	

Returning Home to Build the Temple
Ezra

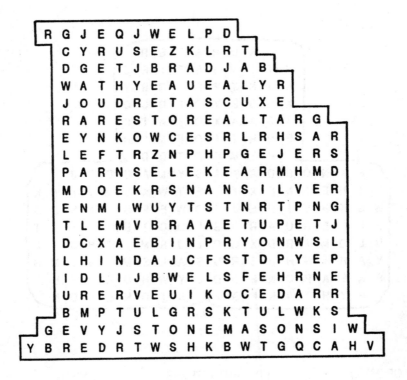

```
R G J E Q J W E L P D
C Y R U S E Z K L R T
D G E T J B R A D J A B
W A T H Y E A U E A L Y R
J O U D R E T A S C U X E
R A R E S T O R E A L T A R G
E Y N K O W C E S R L R H S A R
L E F T R Z N P H P G E J E R S
P A R N S E L E K E A R M H M D
M D O E K R S N A N S I L V E R
E N M I W U Y T S T N R T P N G
T L E M V B R A A E T U P E T J
D C X A E B I N P R Y O N W S L
L H I N D A J C F S T D P Y E P
I D L I J B W E L S F E H R N E
U R E R V E U I K O C E D A R R
B M P T U L G R S K T U L W K S
G E V Y J S T O N E M A S O N S I W
Y B R E D R T W S H K B W T G Q C A H V
```

CARPENTERS	JERUSALEM	RETURN FROM EXILE
CEDAR	PERSIA	SILVER
CYRUS	PRAYER	STONEMASONS
EZRA	REBUILD TEMPLE	WORK RESTARTED
GARMENTS	REPENTANCE	WORK STOPPED
GOLD	RESTORE ALTAR	ZERUBBABEL

45

Nehemiah Rebuilds the Walls of Jerusalem
Nehemiah 1-6

```
            C  K  U  R  S  T  E  R
         S  T  I  M  B  E  R  I  E  J
         L  J  N  T  P  E  G  G  B  Y
         X  G  G  B  Y  D  F  R  U  D
         T  F  A  A  X  O  I  A  I  K
         E  N  R  T  I  O  F  M  L  H
         P  T  M  E  R  T  D  D
   E  X  N  O  S  D  A  W  A  S  Y  L  A  B  O  R  J  F
   R  T  N  E  I  N  E  X  I  L  E  T  W  K  V  M  T  L  W  K
   W  S  K  H  V  I  H  E  J  T  O  W  E  R  S  I  A  P  O  S
   J  L  O  E  G  U  A  R  D  S  L  O  O  T  E  W  D  N  R  T
   D  L  Q  M  I  R  D  X  G  O  L  D  S  M  I  T  H  S  K  L
   Y  A  R  I  N  H  J  E  R  U  S  A  L  E  M  X  U  J  M  G
   S  W  E  A  P  O  N  S  O  D  J  Y  W  H  O  R  T  R  E  I
      P  Y  H  T  A  K  K  S     S  T  O  N  E  S  G  N
```

CITY OF DAVID	KING ARTAXERXES	TIMBER
DOORS	LABOR	TOOLS
EXILE	NEHEMIAH	TOWERS
FIFTY TWO DAYS	PRAYER	WALLS
GATES	REBUILD	WEAPONS
GOLDSMITH	RETURN	WORKMEN
GUARDS	RUINS	
JERUSALEM	STONES	

A Fish Swallows Jonah
Jonah

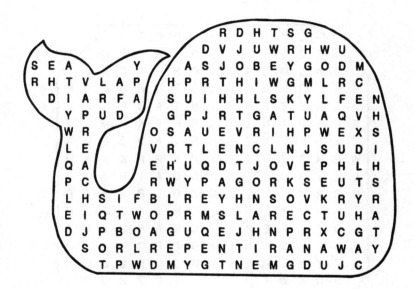

```
                              R D H T S G
                            D V J U W R H W U
S E A         Y           A S J O B E Y G O D M
R H T V L A P           H P R T H I W G M L R C
  D I A R F A           S U I H H L S K Y L F E N
  Y P U D               G P J R T G A T U A Q V H
  W R         O S A U E V R I H P W E X S
  L E         V R T L E N C L N J S U D I
  Q A         E H U Q D T J O V E P H L H
  P C         R W Y P A G O R K S E U T S
  L H S I F B L R E Y H N S O V K R Y R
  E I Q T W O P R M S L A R E C T U H A
  D J P B O A G U Q E J H N P R X C G T
    S O R L R E P E N T I R A N A W A Y
    T P W D M Y G T N E M G D U J C
```

AFRAID	PRAY	SPIT OUT
FISH	PREACH	STORM
GREAT CITY	RAN AWAY	SWALLOW
JONAH	REPENT	TARSHISH
JUDGMENT	SAILORS	THREE DAYS
NINEVEH	SEA	THREE NIGHTS
OBEY GOD	SHIP	
OVERBOARD	SHORE	

The Last Twelve Prophets
of the Old Testament

```
    L S T J H R U B E T D
    R Z E K I T M G R S K R G
    D W S O L A D A C H O T G R S
  E K E R M W R N L S Z M R D L A H
  J Q R D Z E P H A N I A H R W C R
  R H A U I N L R C D H F K P M T J
  E V E I P A Z S H R I A H O S E A
  W F H A B H A C I M E R A K K A M
  L E Y R D U W H A G G A I R J W G
  K D R T T M L A O N D L R S H D R
  I A M I T S R B L E H I A Z E J H
  J D Z E R E A A J O N A H D L P A
  E H I D T D B K E B L E C K K W D
  U H E H I R I K D W J O E L B U R
    D R A W E Z U E R T D Z H G D
    H J O P Q K W Y H E J F E
    N J B T L R D G U W P
```

AMOS	JOEL	NAHUM
HABAKKUK	JONAH	OBADIAH
HAGGAI	MALACHI	ZECHARIAH
HOSEA	MICAH	ZEPHANIAH

The New Testament

```
T H W R T B R G M     O M J M P E T E R
E P H E S I A N S G S W B A Z D Y N M I E L
O H L E B T E J C R P J S T A L O G P Y V A
C I J V S U H A B U H V I T G B D J U D E G
H L O R G S I C O R I N T H I A N S M A L B
C E F L U D A O M S L K I E E L G J D O A T
J M A R K I E L D A I E L W O B Q U I S T I
K O B S R M T O O Q P R X Y S J R S E L I M
I N H Y L U Q S I N P A E T J X O E O N O O
T U B N L E O S D J I W C O N J M R W H N T
J I G F K O S I L E A A H E D I A N L S A H
P Q U U Y G D A H O N T N H E F N M I S R Y
G A L A T I A N S M S Y R S O J S Q E R D L
E P I S T L E S O F J O H N G U E V I S J L
```

MATTHEW	GALATIANS	PHILEMON
MARK	EPHESIANS	HEBREWS
LUKE	PHILIPPIANS	JAMES
JOHN	COLOSSIANS	PETER
ACTS	THESSALONIANS	EPISTLES OF JOHN
ROMANS	TIMOTHY	JUDE
CORINTHIANS	TITUS	REVELATION

The Birth of Jesus
Matthew 2:1-12; Luke 2:1-20

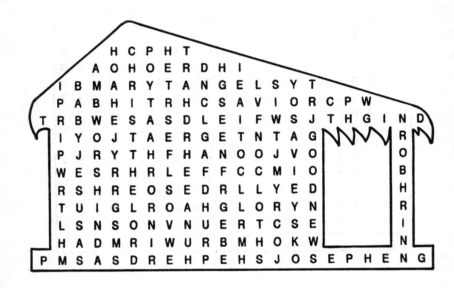

```
          H  C  P  H  T
          A  O  H  O  E  R  D  H  I
    I  B  M  A  R  Y  T  A  N  G  E  L  S  Y  T
    P  A  B  H  I  T  R  H  C  S  A  V  I  O  R  C  P  W
 T  R  B  W  E  S  A  S  D  L  E  I  F  W  S  J  T  H  G  I  N  D
    I  Y  O  J  T  A  E  R  G  E  T  N  T  A  G                 R
    P  J  R  Y  T  H  F  H  A  N  O  O  J  V  O                 O
    W  E  S  R  H  R  L  E  F  F  C  C  M  I  O                 B
    R  S  H  R  E  O  S  E  D  R  L  L  Y  E  D                 H
    T  U  I  G  L  R  O  A  H  G  L  O  R  Y  N                 R
    L  S  N  S  O  N  V  N  U  E  R  T  C  S  E                 I
    H  A  D  M  R  I  W  U  R  B  M  H  O  K  W                 N
    P  M  S  A  S  D  R  E  H  P  E  H  S  J  O  S  E  P  H  E  N  G
```

ANGELS	FLOCKS	MARY
BABY JESUS	GLORY	NIGHT
BETHLEHEM	GOOD NEWS	PEACE TO MEN
BORN	GREAT JOY	SAVIOR
CHRIST THE LORD	INN	SHEPHERDS
CLOTH	JOSEPH	TOWN OF DAVID
FIELD	MANGER	

A Visit from the Wise Men
Matthew 2:1-11

```
                 S               S Y
     M T U W R E C P Y E T W K R I
   Z D E U P E T A H B G R E A D Z N M R
   J R L C J O U R N E Y J D E N R C B Y J
   W E A G Y E R C N T E W L A V Y E U T W
   K A S E I P W H R H X R D S K O N J O A
   Y P U U A R D G T L N K M T M A S G V C
   G T R A S W T F R E H J I W K B E W R H
   N L E H G R O D A H C R H N L P N Y E O
   E N J R D G K R E E R L V U G O L D H R
   M E A H N E W R S M V I M P R H W T L A
   E C H I L D M D U H A R Y D H G E P R T
   S V K H U P A M O N I T R E A S U R E S
   I O S N W T R J H E T P R U P W R D O A
   W Y M U Z K Y D N V Y O H P R T A K C D
```

BETHLEHEM	JERUSALEM	MYRRH
CHILD	JESUS	SEARCH
EAST	JOURNEY	STAR
GOLD	KING HEROD	TREASURES
HOUSE	KING OF THE JEWS	WISE MEN
INCENSE	MARY	WORSHIP

The Boy Jesus Is Missing!
Luke 2:41-50

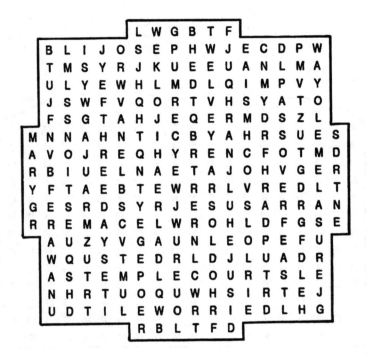

```
            L W G B T F
  B L I J O S E P H W J E C D P W
  T M S Y R J K U E E U A N L M A
  U L Y E W H L M D L Q I M P V Y
  J S W F V Q O R T V H S Y A T O
  F S G T A H J E Q E R M D S Z L
M N N A H N T I C B Y A H R S U E S
A V O J R E Q H Y R E N C F O T M D
R B I U E L N A E T A J O H V G E R
Y F T A E B T E W R R L V R E D L T
G E S R D S Y R J E S U S A R R A N
R R E M A C E L W R O H L D F G S E
  A U Z Y V G A U N L E O P E F U
  W Q U S T E D R L D J L U A D R
  A S T E M P L E C O U R T S L E
  N H R T U O Q U W H S I R T E J
  U D T I L E W O R R I E D L H G
            R B L T F D
```

AMAZED	PASSOVER FEAST	THREE DAYS
ANSWERS	QUESTIONS	TRAVEL
JERUSALEM	RETURN HOME	TWELVE YEARS OLD
JESUS	SEARCH	UNAWARE
JOSEPH	STAY BEHIND	WORRIED
MARY	TEACHERS	
MY FATHERS HOUSE	TEMPLE COURTS	

John the Baptist
Matthew 3:1-17

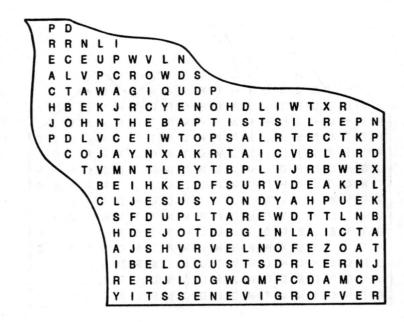

```
P D
R R N L I
E C E U P W V L N
A L V P C R O W D S
C T A W A G I Q U D P
H B E K J R C Y E N O H D L I W T X R
J O H N T H E B A P T I S T S I L R E P N
P D L V C E I W T O P S A L R T E C T K P
  C O J A Y N X A K R T A I C V B L A R D
  T V M N T L R Y T B P L I J R B W E X
    B E I H K E D F S U R V D E A K P L
    C L J E S U S Y O N D Y A H P U E K
    S F D U P L T A R E W D T T L N B
    H D E J O T D B G L N L A I C T A
    A J S H V R V E L N O F E Z O A T
    I B E L O C U S T S D R L E R N J
    R E R J L D G W Q M F C D A M C P
    Y I T S S E N E V I G R O F V E R
```

BAPTIZE	JESUS	REPENTANCE
CAMELS HAIR	JOHN THE BAPTIST	SALVATION
CROWDS	JORDAN RIVER	VOICE IN THE DESERT
DOVE	LEATHER BELT	WATER
FORGIVENESS	LOCUSTS	WILD HONEY
HEAVEN	PREACH	
HOLY SPIRIT	PREPARE WAY FOR LORD	

Jesus' Victory over Temptation
Matthew 4:1-11; Luke 4:1-13

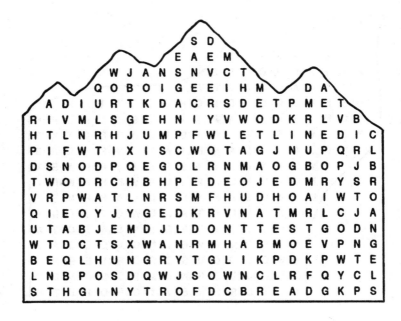

```
                        S D
                      E A E M
                  W J A N S N V C T
                Q O B O I G E E I H M       D A
          A D I U R T K D A C R S D E T P M E T
          R I V M L S G E H N I Y V W O D K R L V B
          H T L N R H J U M P F W L E T L I N E D I C
          P I F W T I X I S C W O T A G J N U P Q R L
          D S N O D P Q E G O L R N M A O G B O P J B
          T W O D R C H B H P E D E O J E D M R Y S R
          V R P W A T L N R S M F H U D H O A I W T O
          Q I E O Y J Y G E D K R V N A T M R L C J A
          U T A B J E M D J L D O N T T E S T G O D N
          W T D C T S X W A N R M H A B M O E V P N G
          B E Q L H U N G R Y T G L I K P D K P W T E
          L N B P O S D Q W J S O W N C L R F Q Y C L
          S T H G I N Y T R O F D C B R E A D G K P S
```

ANGELS	FORTY DAYS	LED BY THE SPIRIT
BOW DOWN	FORTY NIGHTS	MOUNTAIN
BREAD	HUNGRY	SERVE GOD ALONE
DESERT	IT IS WRITTEN	STONES
DEVIL	JESUS	TEMPLE
DONT TEST GOD	JUMP	TEMPTED
EVERY WORD FROM GOD	KINGDOMS	WORSHIP

The Twelve Disciples
Matthew 10:2-4

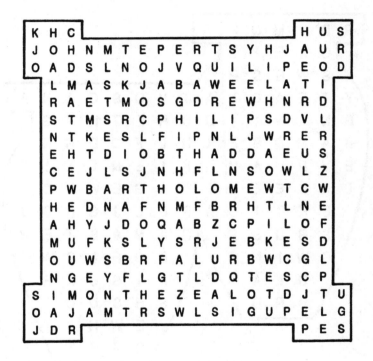

```
K H C                               H U S
J O H N M T E P E R T S Y H J A U R
O A D S L N O J V Q U I L I P E O D
  L M A S K J A B A W E E L A T I
  R A E T M O S G D R E W H N R D
  S T M S R C P H I L I P S D V L
  N T K E S L F I P N L J W R E R
  E H T D I O B T H A D D A E U S
  C E J L S J N H F L N S O W L Z
  P W B A R T H O L O M E W T C W
  H E D N A F N M F B R H T L N E
  A H Y J D O Q A B Z C P I L O F
  M U F K S L Y S R J E B K E S D
  O U W S B R F A L U R B W C G L
  N G E Y F L G T L D Q T E S C P
S I M O N T H E Z E A L O T D J T U
O A J A M T R S W L S I G U P E L G
J D R                         P E S
```

ANDREW   MATTHEW

BARTHOLOMEW   PETER

JAMES SON OF ALPHAEUS   PHILIP

JAMES SON OF ZEBEDEE   SIMON THE ZEALOT

JOHN   THADDAEUS

JUDAS   THOMAS

Jesus' First Miracle
John 2:1-11

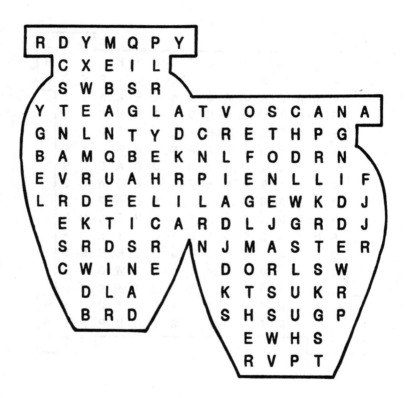

```
R D Y M Q P Y
  C X E I L
  S W B S R
Y T E A G L A T V O S C A N A
G N L N T Y D C R E T H P G
B A M Q B E K N L F O D R N
E V R U A H R P I E N L L I F
L R D E E L I L A G E W K D J
  E K T I C A R D L J G R D J
  S R D S R N J M A S T E R R
  C W I N E   D O R L S W
    D L A     K T S U K R
    B R D     S H S U G P
              E W H S
              R V P T
```

BANQUET	JESUS	STONE JARS
CANA	MASTER	WATER
DISCIPLES	MIRACLE	WEDDING
FILL	MOTHER	WINE
GALILEE	SERVANTS	

Nicodemus Asks Jesus a Question
John 3:1-8

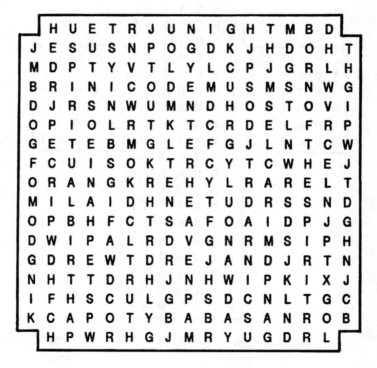

```
H U E T R J U N I G H T M B D
J E S U S N P O G D K J H D O H T
M D P T Y V T L Y L C P J G R L H
B R I N I C O D E M U S M S N W G
D J R S N W U M N D H O S T O V I
O P I O L R T K T C R D E L F R P
G E T E B M G L E F G J L N T C W
F C U I S O K T R C Y T C W H E J
O R A N G K R E H Y L R A R E L T
M I L A I D H N E T U D R S S N D
O P B H F C T S A F O A I D P J G
D W I P A L R D V G N R M S I P H
G D R E W T D R E J A N D J R T N
N H T T D R H J N H W I P K I X J
I F H S C U L G P S D C N L T G C
K C A P O T Y B A B A S A N R O B
H P W R H G J M R Y U G D R L
```

BORN AGAIN	KINGDOM OF GOD	PHARISEE
BORN AS A BABY	MIRACLES	SPIRITUAL BIRTH
BORN OF THE SPIRIT	NICODEMUS	TEACHER FROM GOD
ENTER HEAVEN	NIGHT	TRUTH
JESUS	OLD	

The Gospel Message
John 3:16

```
            P D N L H B
            L N O E I N
            B H T S M K
            F E N V Y W
D U R S H P R T L P J H J P E Q W T
T O D O J N C Y R I D O N L Y N H E
F N T K A B L J S R E E T H I W A H
P E H L S T W G O D L V N E D F V C
M I G I O O R A N V H E E Y J R E L
S B C J F V M V J B M R J S T H A T
            E E T R Y H
            L D B H S I
            P M E W A P
            D E P E R T
            W O R L D L
            H J G I B L
            B L T Y S A
            U W R A H H
            T H E N D S
            W Q L D H B
```

FOR	HIS	HIM
GOD	ONE	SHALL
SO	AND	NOT
LOVED	ONLY	PERISH
THE	SON	BUT
WORLD	THAT	HAVE
THAT	WHOEVER	ETERNAL
HE	BELIEVES	LIFE
GAVE	IN	

Jesus Forgives a Paralyzed Man
Mark 2:3-12

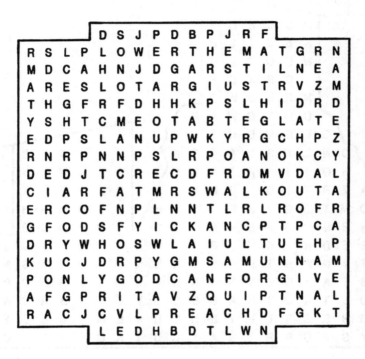

```
          D S J P D B P J R F
    R S L P L O W E R T H E M A T G R N
    M D C A H N J D G A R S T I L N E A
    A R E S L O T A R G I U S T R V Z M
    T H G F R F D H H K P S L H I D R D
    Y S H T C M E O T A B T E G L A T E
    E D P S L A N U P W K Y R G C H P Z
    R N R P N N P S L R P O A N O K C Y
    D E D J T C R E C D F R D M V D A L
    C I A R F A T M R S W A L K O U T A
    E R C O F N P L N N T L R L R O F R
    G F O D S F Y I C K A N C P T P C A
    D R Y W H O S W L A I U L T U E H P
    K U C J D R P Y G M S A M U N N A M
    P O N L Y G O D C A N F O R G I V E
    A F G P R I T A V Z Q U I P T N A L
    R A C J C V L P R E A C H D F G K T
          L E D H B D T L W N
```

AMAZED	JESUS	PREACH
CAPERNAUM	LOWER THE MAT	ROOF
CROWD	MAT	SINS FORGIVEN
FAITH	ONLY GOD CAN FORGIVE	SON OF MAN CAN FORGIVE
FOUR FRIENDS	OPENING	WALKOUT
HEAL	PARALYZED MAN	
HOUSE	PRAISE GOD	

59

The House on the Rock
Matthew 7:24-27

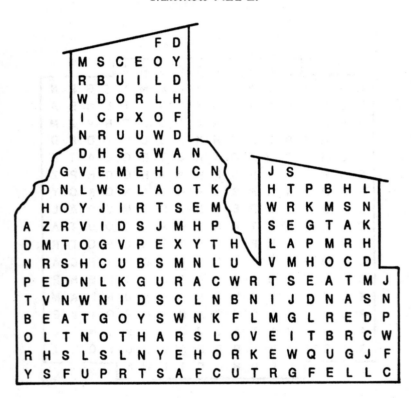

BEAT	FOOLISH MAN	STAND STRONG
BLEW	GREAT CRASH	STREAMS
BUILD	HOUSE	WIND
FELL	RAIN	WISE MAN
FLOOD	ROCK	
FOLLOW WHAT JESUS SAYS	SAND	

Parable of the Sower
Matthew 13:3-8

```
R  T  M  J  H  U  Q  P  Q  R  D  M  H  T  R  J  S
N  H  U  N  D  R  E  D  T  I  M  E  S  M  D  S  R
D  I  S  C  J  W  R  A  H  L  P  I  S  C  T  I  P
P  R  O  D  U  C  E  D  C  R  O  P  C  N  A  X  K
B  T  W  V  L  R  D  F  F  M  G  H  A  L  J  T  D
A  Y  S  F  H  J  M  R  E  S  T  L  T  I  N  Y  F
T  T  E  A  F  T  H  T  B  P  P  J  T  O  E  T  W
H  I  E  R  R  B  A  O  W  D  P  S  E  S  C  I  S
F  M  D  M  G  S  N  P  E  O  N  G  R  D  H  M  H
A  E  Y  E  D  N  D  K  N  R  A  K  E  O  L  E  G
R  S  J  R  I  R  O  L  O  O  U  G  D  O  D  S  O
N  C  I  E  G  H  K  H  R  E  L  N  S  G  U  X  J
A  B  K  A  C  Q  T  J  O  K  U  L  E  N  K  H  R
H  P  G  N  S  T  E  R  O  D  E  R  E  H  T  I  W
W  E  J  S  Y  H  J  F  T  J  O  E  D  F  S  A  A
K  R  O  C  K  Y  S  O  I  L  N  J  Q  C  Z  P  E
```

BIRDS ATE
CHOKED PLANTS
FARMER
FELL ON PATH
GOOD SOIL
HUNDRED TIMES

NO ROOT
PRODUCED CROP
ROCKY SOIL
SCATTERED SEED
SIXTY TIMES
SOW SEED

THIRTY TIMES
THORNS
WITHERED
SUN

The Pearl and the Treasure
Matthew 13:44-46

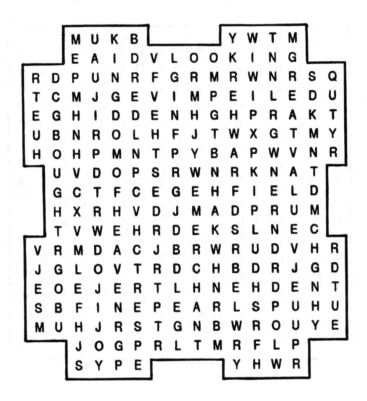

```
M U K B         Y W T M
E A I D V L O O K I N G
R D P U N R F G R M R W N R S Q
T C M J G E V I M P E I L E D U
E G H I D D E N H G H P R A K T
U B N R O L H F J T W X G T M Y
H O H P M N T P Y B A P W V N R
  U V D O P S R W N R K N A T
  G C T F C E G E H F I E L D
  H X R H V D J M A D P R U M
  T V W E H R D E K S L N E C
V R M D A C J B R W R U D V H R
J G L O V T R D C H B D R J G D
E O E J E R T L H N E H D E N T
S B F I N E P E A R L S P U H U
M U H J R S T G N B W R O U Y E
  J O G P R L T M R F L P
  S Y P E         Y H W R
```

BOUGHT	HIDDEN	MERCHANT
FIELD	JOY	SOLD EVERYTHING
FINE PEARLS	KINGDOM OF HEAVEN	TREASURE
FOUND	LOOKING	
GREAT VALUE	MAN	

Jesus Helps the Widow
Luke 7:11-17

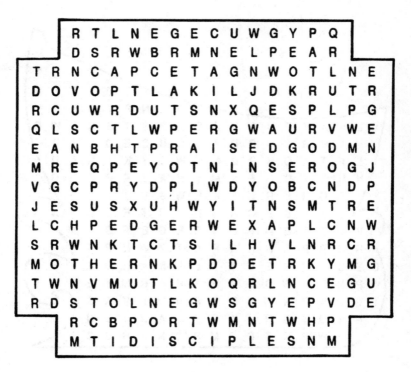

```
R T L N E G E C U W G Y P Q
D S R W B R M N E L P E A R
T R N C A P C E T A G N W O T L N E
D O V O P T L A K I L J D K R U T R
R C U W R D U T S N X Q E S P L P G
Q L S C T L W P E R G W A U R V W E
E A N B H T P R A I S E D G O D M N
M R E Q P E Y O T N L N S E R O G J
V G C P R Y D P L W D Y O B C N D P
J E S U S X U H W Y I T N S M T R E
L C H P E D G E R W E X A P L C N W
S R W N K T C T S I L H V L N R C R
M O T H E R N K P D D E T R K Y M G
T W N V M U T L K O Q R L N C E G U
R D S T O L N E G W S G Y E P V D E
R C B P O R T W M N T W H P
M T I D I S C I P L E S N M
```

AWE	GOD HAS COME	NEWS
COUNTRY	GREAT PROPHET	PRAISED GOD
DEAD SON	JESUS	SAT UP AND TALKED
DISCIPLES	LARGE CROWD	TOUCHED
DONT CRY	MOTHER	TOWN GATE
GET UP	NAIN	WIDOW

Even the Sea Obeys Jesus!
Matthew 8:23-27; Mark 4:36-41

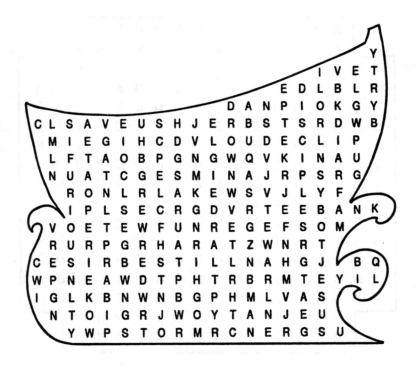

AFRAID	DROWN	SLEEPING
AMAZED	FURIOUS	STORM
BE STILL	JESUS	WAVES
BOAT	LAKE	WINDS
CALM	LITTLE FAITH	WINDS AND WAVES OBEY
DISCIPLES	SAVE US	WOKE

Jesus Feeds the Crowd
Mark 6:30-44

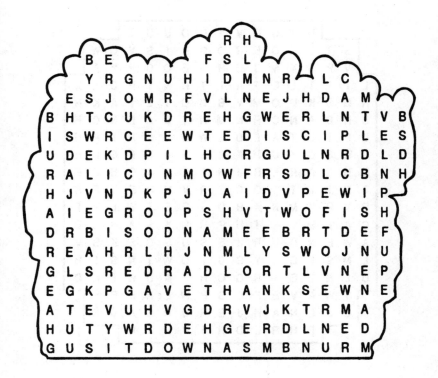

ATE		GAVE THANKS		LEFTOVER	
BROKE LOAVES		GROUPS		LOOK UP	
DISCIPLES		HEAVEN		SIT DOWN	
DIVIDED FISH		HUNGRY		TWELVE BASKETS	
FIVE LOAVES		JESUS		TWO FISH	
FIVE THOUSAND		LATE			

Jesus Walks on Water
Matthew 14:23-33

```
        R T C G V A D O U B T
      S T L N O E R O C P I S V Q W
      V P S X M S G H U E O C P Y A
    L I T T L E F A I T H N Y R D L X
    R G S K D O M V B G Q T E I A K H
    S H D A N C R N M N T D A E N C R
    U P I O T A L D E W O R S H I P U
    J W S C Y U M K S E F A H B G D E
    E H C A R K B J H A L N I O H C P
    T D I L T S O C E R V H P E T E R
    R V P X M R A B D J P E T W L P F
    C A L M V E T H P R D K M A R L D
    A W E N B N R J E S U S G E K S V
    L M S L O K Y S U I O W T N S I H
    D L N D E F R G C H F A U W I N D
      T W A V E S C S P W L N E R K
      G S L N A H J E R D H C A D R
        F H R E D R J P R T H
```

BOAT	GHOST	SINK
CALM	JESUS	SON OF GOD
COME	LITTLE FAITH	WALK
DISCIPLES	LORD SAVE ME	WATER
DONT BE AFRAID	NIGHT	WAVES
DOUBT	PETER	WIND
FEAR	RESCUE	WORSHIP

Jesus Shows His Glory
Luke 9:28-36

```
                    R
                 S  Y  J  L
              T  Y  H  V  A  D
           D  A  R  L  C  P  M  H
           A  R  L  G  V  O  I  C  E  D
        L  P  D  K  L  E  T  H  W  L  S  N
     K  G  E  L  I  J  A  H  A  R  D  O  W  K
     L  P  R  Y  T  N  D  J  R  W  H  S  T  U  T  P
J  R  I  T  J  W  Q  G  A  K  E  L  Y  R  D  C  D  K  D
G  L  S  W  G  E  R  D  C  H  E  M  O  U  N  T  A  I  N
Y  N  T  P  L  A  S  A  N  J  S  D  N  R  D  A  S  W  L
R  S  E  S  O  M  T  U  P  I  H  P  L  K  C  A  N  R  W
W  R  N  L  R  V  L  Y  S  C  E  R  T  E  P  T  E  D  T
P  S  T  P  Y  P  N  I  W  Q  L  W  S  P  W  R  G  S  R
L  T  O  R  E  K  H  P  R  C  T  R  E  W  V  H  N  J  P
J  O  H  N  L  T  R  U  S  N  E  A  G  K  M  E  A  W  E
N  C  I  K  R  C  E  S  T  L  R  H  B  R  I  G  H  T  U
F  R  M  U  G  D  C  R  A  K  S  E  S  P  T  R  C  A  J
```

BRIGHT	JAMES	PETER
CHANGE	JESUS	PRAY
CLOUD	JOHN	TALKING
DISAPPEAR	LISTEN TO HIM	THIS IS MY SON
ELIJAH	MOSES	THREE SHELTERS
GLORY	MOUNTAIN	VOICE

Jesus the Great Shepherd
John 10:1-16

ATTACK	GATE	PASTURE
CALLS BY NAME	GOOD SHEPHERD	PEN
CLIMB	KNOW HIS VOICE	PROTECT
ENTER	LAY DOWN MY LIFE	SHEEP
FLOCK	LEAD	THIEF
FOLLOW	LISTEN	WOLF

A True Friend
Luke 10:30-37

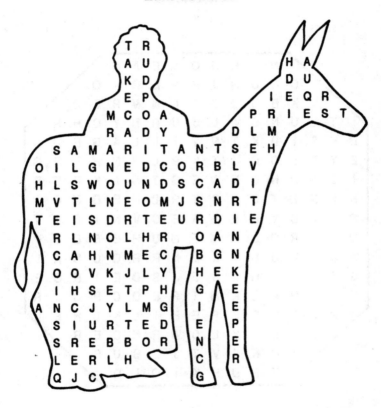

BANDAGE	**JERUSALEM**
DID NOT HELP	**LEVITE**
DONKEY	**MERCY**
HURT	**NEIGHBOR**
INN	**OIL**
INNKEEPER	**PRIEST**
JERICHO	**ROBBERS**

SAMARITAN
SILVER COINS
TAKE CARE
TRAVELER
WOUNDS

Martha: Too Busy to Listen
Luke 10:38-42

```
        N V K H O M E A M
      C G D R J P S E R A Q
    V K B U O G O L N M R E D
  T L U N E W L J U R D Y C H R
D E S I D K T N V I L L A G E D H
E Y D L O O J T K P L H N H L R G
I G M D N G V W E Q T C L K P E B
R F N L T D L S T R L N E D M C I
R L L D Y R H G A E C V N I E B T
O I D R O S H M F G U H E S D I P
W S K P U U I J M N P R O C S A L
S T R D C H J S F J S D E I R D E
Y E C H A L K M T F E D C P C J R
  N L O R D S F E E T L K L H E
    B G E J Y L D W R N C E R
      H D K J V T J E S U S
        T R D H K I O L D
```

BETTER CHOICE	JESUS	SIT
BUSY	LISTEN	UPSET
DISCIPLES	LORDS FEET	VILLAGE
DONT YOU CARE	MARTHA	WILL NOT LOSE
HELP ME	MARY	WORK
HOME	SISTERS	WORRIED

The Lost Sheep
Luke 15:4-7

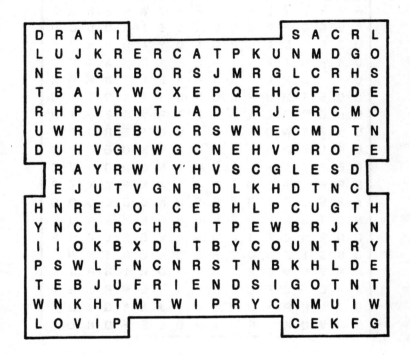

```
D R A N I         S A C R L
L U J K R E R C A T P K U N M D G O
N E I G H B O R S J M R G L C R H S
T B A I Y W C X E P Q E H C P F D E
R H P V R N T L A D L R J E R C M O
U W R D E B U C R S W N E C M D T N
D U H V G N W G C N E H V P R O F E
  R A Y R W I Y H V S C G L E S D
  E J U T V G N R D L K H D T N C
H N R E J O I C E B H L P C U G T H
Y N C L R C H R I T P E W B R J K N
I I O K B X D L T B Y C O U N T R Y
P S W L F N C N R S T N B K H L D E
T E B J U F R I E N D S I G O T N T
W N K H T M T W I P R Y C N M U I W
L O V I P         C E K F G
```

ANGELS
COUNTRY
FIND
FRIENDS
HEAVEN
HUNDRED SHEEP

LEAVE NINETY NINE
LOSE ONE
LOST
NEIGHBORS
ONE SINNER
REJOICE

REPENT
RETURN HOME
SEARCH

The Prodigal Son
Luke 15:11-32

```
R S T F M L F J M E A Y W K S R D E
A E B O R T S E B T L S I R Q U C H
O B R U S A L P R N D V L D U N R K
U K H N T F A T H E R K D R A K H U
G Y V D R L D G S N R E L T N F D A
L O S T M U N N O V S T I X D T L C
M U G D O L A I T E T R V C E M T N
U N F T W O S O N S E D I E R J R F
E G L L D S B A L H Y R N O E S P C
P E P S A R Z L N R I N G M D R V S
E R W P I C M I N T L M K F W K X P
X S M L Y F D V E S N K B D E O Q Q
M O T G R E P E H U N G R Y A A U K
C N R H D E A D N M U V D E L C S R
D S S I P N O S R E D L O N T V W T
R N V B M S R J D T T Q R I H P J N
J I O P C E L E B R A T E M R I G F
D D L H P T U M L J T J A A G J D K
P U V Q K L S G I P D E E F D H L P
```

ALIVE	FATHER	OLDER SON
BEST ROBE	FATTENED CALF	RING
CELEBRATE	FEAST	SANDALS
COMPASSION	FEED PIGS	SQUANDERED WEALTH
DEAD	FOUND	TWO SONS
DIVIDED INHERITANCE	HUNGRY	WILD LIVING
FAMINE	LOST	YOUNGER SON

Jesus Raises a Friend from the Dead
John 11:1-44

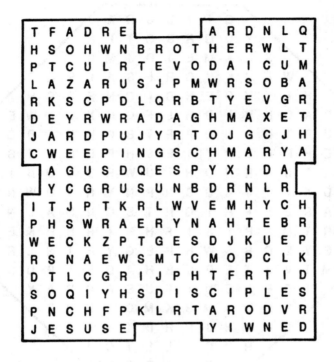

```
T F A D R E     A R D N L Q
H S O H W N B R O T H E R W L T
P T C U L R T E V O D A I C U M
L A Z A R U S J P M W R S O B A
R K S C P D L Q R B T Y E V G R
D E Y R W R A D A G H M A X E T
J A R D P U J Y R T O J G C J H
C W E E P I N G S C H M A R Y A
  A G U S D Q E S P Y X I D A
  Y C G R U S U N B D R N L R
I T J P T K R L W V E M H Y C H
P H S W R A E R Y N A H T E B R
W E C K Z P T G E S D J K U E P
R S N A E W S M T C M O P C L K
D T L C G R I J P H T F R T I D
S O Q I Y H S D I S C I P L E S
P N C H F P K L R T A R O D V R
J E S U S E       Y I W N E D
```

BELIEVE	LAZARUS	SICK
BETHANY	LAZARUS COME OUT	SISTERS
BROTHER	LIFE	TAKE AWAY THE STONE
DEAD	MARTHA	TOMB
DISCIPLES	MARY	WEEPING
FOUR DAYS	RESURRECTION	
JESUS	RISE AGAIN	

The Proud Man and the Humble Man
Luke 18:9-14

```
        G T Y D G R A
        Y Q G R S O T L N
      S H A M E T D J M B T
    W L U K V C R L S A L P W
  H F Y M R E H D I O N E R S H
  S A C H B L D R L F G O X O L W E
N U R T D L N O P F T B C K U T D G P
E E H P O E P Y T E S H P E D L J S D
M N T C A R H D H I U W R D C O U I T
O D X I T J A G S N P N Y R T D W N P
W A S E L F R I G H T E O U S A L N W
T R T M L P I S I F H N I R H P K E R
N S Y E C R S W H P E G Y E T N L R T
  M T V J T E P T B H A G S I P D S
    I O B L E U I F U S A P R A Y
      P O Q J M B K M O L H U E
      W D N J P R B T N E P
      R U S H L L T Q J
      A P L T E S R
```

BOAST	PHARISEE	STOOD UP
GOD LIFTS UP	PRAY	TAX COLLECTOR
THE HUMBLE	PROUD	TEMPLE
HUMBLE	SELF RIGHTEOUS	TWO MEN
LOOK DOWN	SHAME	
MERCY	SINNER	

74

The Blind Can See
Mark 10:46-52

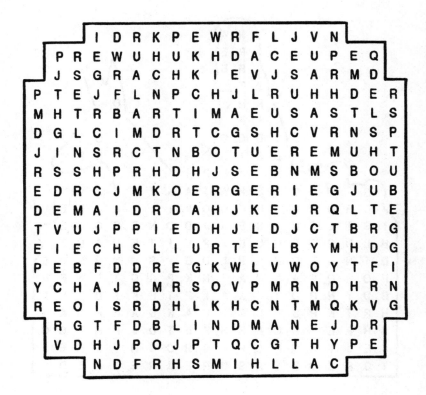

```
        I  D  R  K  P  E  W  R  F  L  J  V  N
     P  R  E  W  U  H  U  K  H  D  A  C  E  U  P  E  Q
     J  S  G  R  A  C  H  K  I  E  V  J  S  A  R  M  D
  P  T  E  J  F  L  N  P  C  H  J  L  R  U  H  H  D  E  R
  M  H  T  R  B  A  R  T  I  M  A  E  U  S  A  S  T  L  S
  D  G  L  C  I  M  D  R  T  C  G  S  H  C  V  R  N  S  P
  J  I  N  S  R  C  T  N  B  O  T  U  E  R  E  M  U  H  T
  R  S  S  H  P  R  H  D  H  J  S  E  B  N  M  S  B  O  U
  E  D  R  C  J  M  K  O  E  R  G  E  R  I  E  G  J  U  B
  D  E  M  A  I  D  R  D  A  H  J  K  E  J  R  Q  L  T  E
  T  V  U  J  P  P  I  E  D  H  J  L  D  J  C  T  B  R  G
  E  I  E  C  H  S  L  I  U  R  T  E  L  B  Y  M  H  D  G
  P  E  B  F  D  D  R  E  G  K  W  L  V  W  O  Y  T  F  I
  Y  C  H  A  J  B  M  R  S  O  V  P  M  R  N  D  H  R  N
  R  E  O  I  S  R  D  H  L  K  H  C  N  T  M  Q  K  V  G
     R  G  T  F  D  B  L  I  N  D  M  A  N  E  J  D  R
     V  D  H  J  P  O  J  P  T  Q  C  G  T  H  Y  P  E
        N  D  F  R  H  S  M  I  H  L  L  A  C
```

BARTIMAEUS	FAITH	JERICHO
BEGGING	FOLLOWED JESUS	JESUS
BLIND MAN	HAVE MERCY ON ME	RECEIVED SIGHT
CALL HIM	HEAL	ROADSIDE
DISCIPLES	I WANT TO SEE	SHOUT

Jesus Enters Jerusalem on a Donkey
Matthew 21:1-11

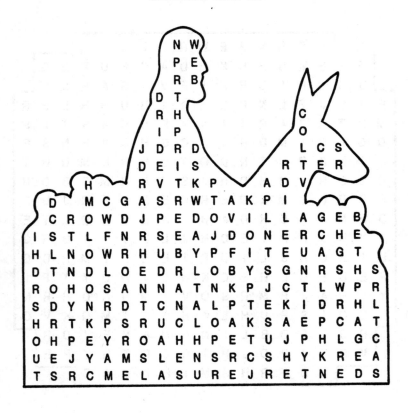

BETHPHAGE   HOSANNA   SON OF DAVID

CLOAKS   JESUS   TREE BRANCHES

COLT   MOUNT OF OLIVES   TWO DISCIPLES

CROWD   RIDE   UNTIE

DONKEY   ROAD   VILLAGE

ENTER JERUSALEM   SHOUT

The Widow Who Gave Everything
Mark 12:41-44

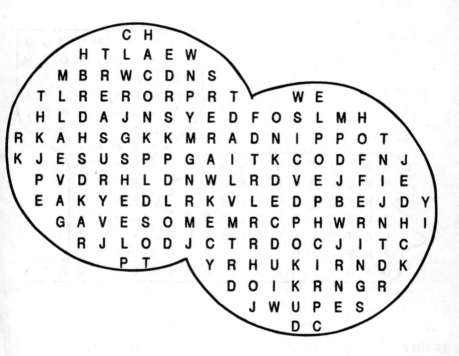

CROWD	OFFERINGS	TREASURY
GAVE ALL	POOR WIDOW	TWO SMALL COINS
GAVE SOME	POVERTY	WEALTH
JESUS	RICH PEOPLE	
MONEY	TEMPLE	

The Last Supper
Matthew 26:20-29; Mark 14:12-25;
Luke 22:7-23; John 13:1-17

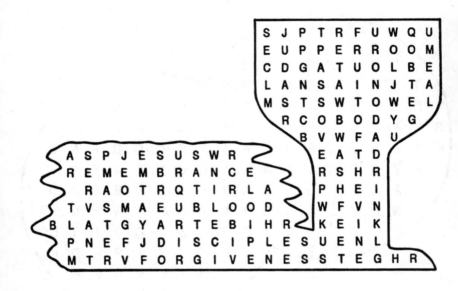

BETRAY	FORGIVENESS	REMEMBRANCE
BLOOD	FRUIT OF THE VINE	SERVANT
BODY	JESUS	TOWEL
BREAD	JUDAS	UPPER ROOM
CUP	MASTER	WASH FEET
DISCIPLES	MEAL	WATER
DRINK	PASSOVER	
EAT	PETER	

Jesus' Arrest in the Garden
Matthew 26:36-56

ARREST	HEAL	PRAY THREE TIMES
BETRAY	JESUS	SORROW
CROWD	JUDAS	SWORD
DISCIPLES	KEEP WATCH	TOOK HIM AWAY
EAR	KISS	YOUR WILL BE DONE
GETHSEMANE	PETER	

Jesus on the Cross
Matthew 27:33-44; Mark 15:20-32;
Luke 23:33-43; John 19:17-24

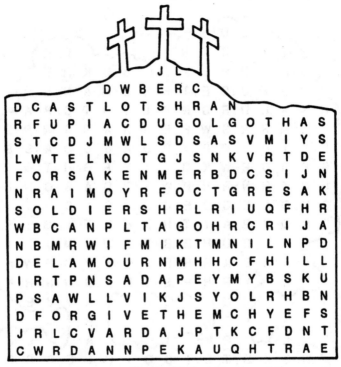

```
            J L
        D W B E R C
  D C A S T L O T S H R A N
  R F U P I A C D U G O L G O T H A S
  S T C D J M W L S D S A S V M I Y S
  L W T E L N O T G J S N K V R T D E
  F O R S A K E N M E R B D C S I J N
  N R A I M O Y R F O C T G R E S A K
  S O L D I E R S H R L R I U Q F H R
  W B C A N P L T A G O H R C R I J A
  N B M R W I F M I K T M N I L N P D
  D E L A M O U R N M H H C F H I L L
  I R T P N S A D A P E Y M Y B S K U
  P S A W L L V I K J S Y O L R H B N
  D F O R G I V E T H E M C H Y E F S
  J R L C V A R D A J P T K C F D N T
  C W R D A N N P E K A U Q H T R A E
```

CAST LOTS	FORGIVE THEM	MOURN
CLOTHES	FORSAKEN ME	NAILS
CROSS	GOLGOTHA	PARADISE
CROWN OF THORNS	HILL	SIMON FROM CYRENE
CRUCIFY	I AM THIRSTY	SOLDIERS
DARKNESS	IT IS FINISHED	TWO ROBBERS
DIED	JESUS	
EARTHQUAKE	MOCK	

He Is Risen!
John 20:1-20

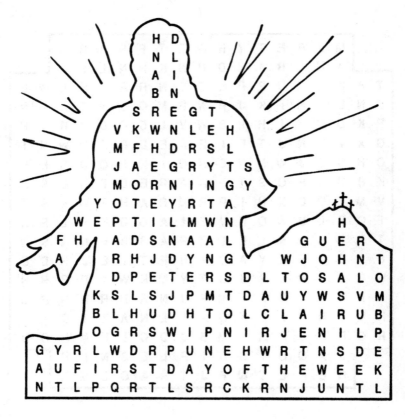

		H	D														
		N	L														
		A	I														
		B	N														
	S	R	E	G	T												
V	K	W	N	L	E	H											
M	F	H	D	R	S	L											
J	A	E	G	R	Y	T	S										
M	O	R	N	I	N	G	Y										
Y	O	T	E	Y	R	T	A										
W E	P	T	I	L	M	W	N					H					
F H	A	D	S	N	A	A	L			G	U	E	R				
A	R	H	J	D	Y	N	G		W	J	O	H	N	T			
D	P	E	T	E	R	S	D	L	T	O	S	A	L	O			
K	S	L	S	J	P	M	T	D	A	U	Y	W	S	V	M		
B	L	H	U	D	H	T	O	L	C	L	A	I	R	U	B		
O	G	R	S	W	I	P	N	I	R	J	E	N	I	L	P		
G	Y	R	L	W	D	R	P	U	N	E	H	W	R	T	N	S	D	E
A	U	F	I	R	S	T	D	A	Y	O	F	T	H	E	W	E	E	K
N	T	L	P	Q	R	T	L	S	R	C	K	R	N	J	U	N	T	L

ANGELS	LINEN	STONE
BURIAL CLOTH	MARY MAGDALENE	TOMB
FIRST DAY OF THE WEEK	MORNING	WEPT
HE HAS RISEN	PETER	WHERE IS JESUS
JOHN	ROLLED AWAY	
JOY	RUN	

Jesus Returns to Heaven
Matthew 28:16-20; Acts 1:8-11

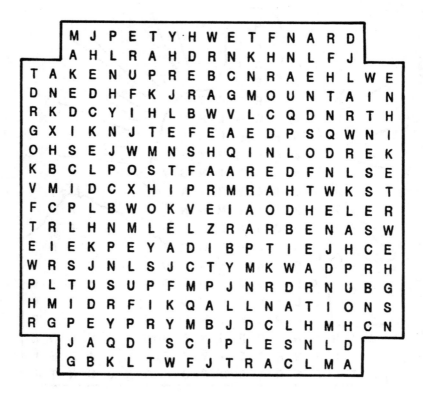

```
    M J P E T Y H W E T F N A R D
    A H L R A H D R N K H N L F J
T A K E N U P R E B C N R A E H L W E
D N E D H F K J R A G M O U N T A I N
R K D C Y I H L B W V L C Q D N R T H
G X I K N J T E F E A E D P S Q W N I
O H S E J W M N S H Q I N L O D R E K
K B C L P O S T F A A R E D F N L S E
V M I D C X H I P R M R A H T W K S T
F C P L B W O K V E I A O D H E L E R
T R L H N M L E L Z R A R B E N A S W
E I E K P E Y A D I B P T I E J H C E
W R S J N L S J C T Y M K W A D P R H
P L T U S U P F M P J N R D R N U B G
H M I D R F I K Q A L L N A T I O N S
R G P E Y P R Y M B J D C L H M H C N
    J A Q D I S C I P L E S N L D
    G B K L T W F J T R A C L M A
```

ALL NATIONS	HOLY SPIRIT	SKY
BAPTIZE	JERUSALEM	TAKEN UP
DISCIPLES	JUDEA	TEACH
ENDS OF THE EARTH	MAKE DISCIPLES	WILL COME BACK
GO	MOUNTAIN	WITNESSES
HEAVEN	SAMARIA	

A Bright Light on the Road
Acts 9:1-22

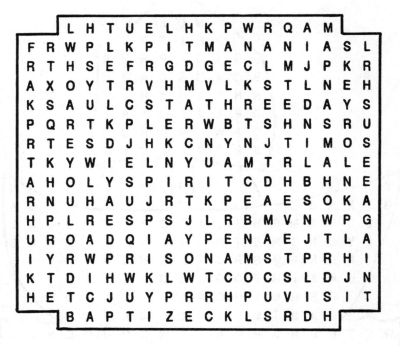

```
    L H T U E L H K P W R Q A M
  F R W P L K P I T M A N A N I A S L
  R T H S E F R G D G E C L M J P K R
  A X O Y T R V H M V L K S T L N E H
  K S A U L C S T A T H R E E D A Y S
  P Q R T K P L E R W B T S H N S R U
  R T E S D J H K C N Y N J T I M O S
  T K Y W I E L N Y U A M T R L A L E
  A H O L Y S P I R I T C D H B H N E
  R N U H A U J R T K P E A E S O K A
  H P L R E S P S J L R B M V N W P G
  U R O A D Q I A Y P E N A E J T L A
  I Y R W P R I S O N A M S T P R H I
  K T D I H W K L W T C O C S L D J N
  H E T C J U Y P R R H P U V I S I T
    B A P T I Z E C K L S R D H
```

ANANIAS	HOLY SPIRIT	SAUL
BAPTIZE	JESUS	SEE AGAIN
BLIND	LIGHT	THREE DAYS
CHOSEN ONE	PERSECUTE ME	VISIT
CHRISTIANS	PREACH	WHO ARE YOU LORD
DAMASCUS	PRISON	
HEAVEN	ROAD	

Paul Tells People About Jesus
Acts 13-14

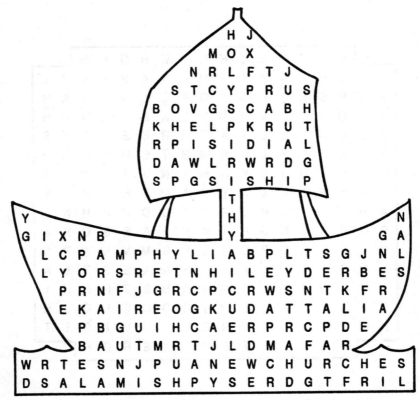

ANTIOCH	LYSTRA	PREACH
ATTALIA	NEW CHURCHES	SAIL
BARNABAS	PAMPHYLIA	SALAMIS
CYPRUS	PAPHOS	SELEUCIA
DERBE	PAUL	SET APART
HOLY SPIRIT	PERGA	SHIP
ICONIUM	PISIDIA	

Nothing Can Separate Us from Christ's Love!
Romans 8:37-39

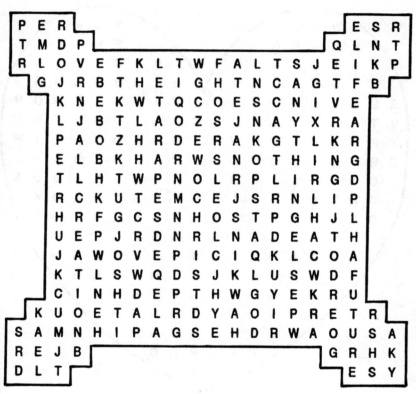

```
P E R                           E S R
T M D P                       Q L N T
R L O V E F K L T W F A L T S J E I K P
  G J R B T H E I G H T N C A G T F B
    K N E K W T Q C O E S C N I V E
    L J B T L A O Z S J N A Y X R A
    P A O Z H R D E R A K G T L K R
    E L B K H A R W S N O T H I N G
    T L H T W P N O L R P L I R G D
    R C K U T E M C E J S R N L I P
    H R F G C S N H O S T P G H J L
    U E P J R D N R L N A D E A T H
    J A W O V E P I C I Q K L C O A
    K T L S W Q D S J K L U S W D F
    C I N H D E P T H W G Y E K R U
  K U O E T A L R D Y A O I P R E T R
S A M N H I P A G S E H D R W A O U S A
R E J B                         G R H K
D L T                             E S Y
```

MORE THAN	ANGELS	DEPTH
CONQUERORS	DEMONS	ANYTHING ELSE
NOTHING	PRESENT	ALL CREATION
SEPARATE	FUTURE	LOVE
DEATH	POWERS	GOD
LIFE	HEIGHT	CHRIST

85

God's Kind of Love
1 Corinthians 13:4-8

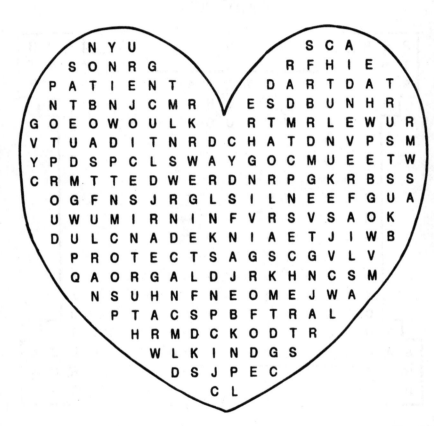

FORGIVING	NOT BOASTFUL	PATIENT
HOPES	NOT ENVIOUS	PERSEVERES
KIND	NOT PROUD	PROTECTS
NEVER FAILS	NOT RUDE	REJOICES IN TRUTH
NOT ANGRY	NOT SELFISH	TRUSTS

Christ Makes Us into New People
2 Corinthians 5:17

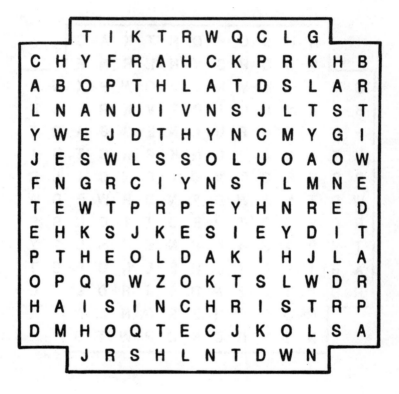

```
      T  I  K  T  R  W  Q  C  L  G
   C  H  Y  F  R  A  H  C  K  P  R  K  H  B
   A  B  O  P  T  H  L  A  T  D  S  L  A  R
   L  N  A  N  U  I  V  N  S  J  L  T  S  T
   Y  W  E  J  D  T  H  Y  N  C  M  Y  G  I
   J  E  S  W  L  S  S  O  L  U  O  A  O  W
   F  N  G  R  C  I  Y  N  S  T  L  M  N  E
   T  E  W  T  P  R  P  E  Y  H  N  R  E  D
   E  H  K  S  J  K  E  S  I  E  Y  D  I  T
   P  T  H  E  O  L  D  A  K  I  H  J  L  A
   O  P  Q  P  W  Z  O  K  T  S  L  W  D  R
   H  A  I  S  I  N  C  H  R  I  S  T  R  P
   D  M  H  O  Q  T  E  C  J  K  O  L  S  A
      J  R  S  H  L  N  T  D  W  N
```

IF	HE IS	HAS GONE
ANYONE	A NEW CREATION	THE NEW
IS IN CHRIST	THE OLD	HAS COME

The Fruit of the Spirit
Galatians 5:22-23

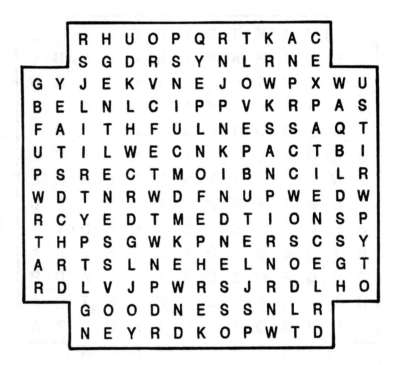

```
            R  H  U  O  P  Q  R  T  K  A  C
            S  G  D  R  S  Y  N  L  R  N  E
   G  Y  J  E  K  V  N  E  J  O  W  P  X  W  U
   B  E  L  N  L  C  I  P  P  V  K  R  P  A  S
   F  A  I  T  H  F  U  L  N  E  S  S  A  Q  T
   U  T  I  L  W  E  C  N  K  P  A  C  T  B  I
   P  S  R  E  C  T  M  O  I  B  N  C  I  L  R
   W  D  T  N  R  W  D  F  N  U  P  W  E  D  W
   R  C  Y  E  D  T  M  E  D  T  I  O  N  S  P
   T  H  P  S  G  W  K  P  N  E  R  S  C  S  Y
   A  R  T  S  L  N  E  H  E  L  N  O  E  G  T
   R  D  L  V  J  P  W  R  S  J  R  D  L  H  O
            G  O  O  D  N  E  S  S  N  L  R
            N  E  Y  R  D  K  O  P  W  T  D
```

FAITHFULNESS	JOY	PATIENCE
GENTLENESS	KINDNESS	PEACE
GOODNESS	LOVE	SELF CONTROL

A Gift from God

Ephesians 2:8-9

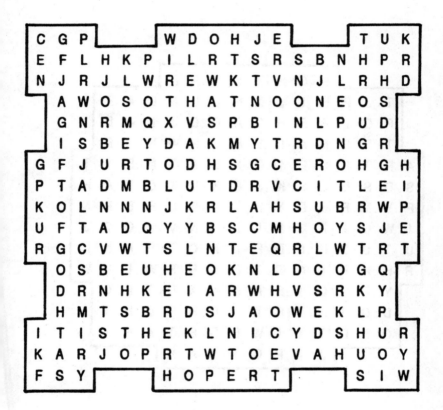

C	G	P		W	D	O	H	J	E			T	U	K
E	F	L	H	K	P	I	L	R	T	S	R	S	B	N	H	P	R
N	J	R	J	L	W	R	E	W	K	T	V	N	J	L	R	H	D
A	W	O	S	O	T	H	A	T	N	O	O	N	E	O	S
G	N	R	M	Q	X	V	S	P	B	I	N	L	P	U	D
I	S	B	E	Y	D	A	K	M	Y	T	R	D	N	G	R
G	F	J	U	R	T	O	D	H	S	G	C	E	R	O	H	G	H
P	T	A	D	M	B	L	U	T	D	R	V	C	I	T	L	E	I
K	O	L	N	N	N	J	K	R	L	A	H	S	U	B	R	W	P
U	F	T	A	D	Q	Y	Y	B	S	C	M	H	O	Y	S	J	E
R	G	C	V	W	T	S	L	N	T	E	Q	R	L	W	T	R	T
O	S	B	E	U	H	E	O	K	N	L	D	C	O	G	Q
D	R	N	H	K	E	I	A	R	W	H	V	S	R	K	Y
H	M	T	S	B	R	D	S	J	A	O	W	E	K	L	P
I	T	I	S	T	H	E	K	L	N	I	C	Y	D	S	H	U	R
K	A	R	J	O	P	R	T	W	T	O	E	V	A	H	U	O	Y
F	S	Y		H	O	P	E	R	T				S	I	W

BY GRACE	FAITH	GIFT OF GOD
YOU HAVE	AND THIS NOT	NOT BY WORKS
BEEN SAVED	FROM YOURSELVES	SO THAT NO ONE
THROUGH	IT IS THE	CAN BOAST

The Right Kind of Thoughts
Philippians 4:8

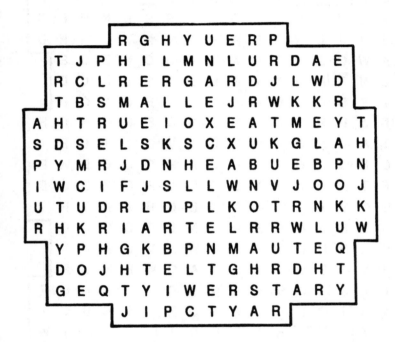

```
        R G H Y U E R P
    T J P H I L M N L U R D A E
    R C L R E R G A R D J L W D
    T B S M A L L E J R W K K R
  A H T R U E I O X E A T M E Y T
  S D S E L S K S C X U K G L A H
  P Y M R J D N H E A B U E B P N
  I W C I F J S L L W N V J O O J
  U T U D R L D P L K O T R N K K
  R H K R I A R T E L R R W L U W
    Y P H G K B P N M A U T E Q
    D O J H T E L T G H R D H T
    G E Q T Y I W E R S T A R Y
        J I P C T Y A R
```

ADMIRABLE	NOBLE	RIGHT
EXCELLENT	PRAISEWORTHY	TRUE
LOVELY	PURE	

90

Living for God
Colossians 3:17

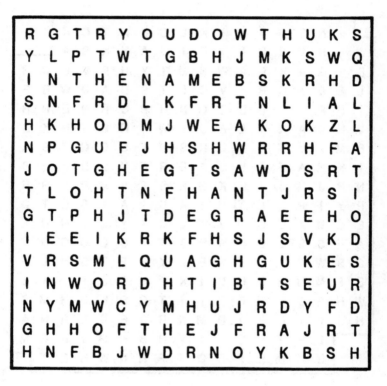

```
R G T R Y O U D O W T H U K S
Y L P T W T G B H J M K S W Q
I N T H E N A M E B S K R H D
S N F R D L K F R T N L I A L
H K H O D M J W E A K O K Z L
N P G U F J H S H W R R H F A
J O T G H E G T S A W D S R T
T L O H T N F H A N T J R S I
G T P H J T D E G R A E E H O
I E E I K R K F H S J S V K D
V R S M L Q U A G H G U K E S
I N W O R D H T I B T S E U R
N Y M W C Y M H U J R D Y F D
G H H O F T H E J F R A J R T
H N F B J W D R N O Y K B S H
```

WHATEVER	DO IT ALL	THANKS
YOU DO	IN THE NAME	TO GOD
WHETHER	OF THE	THE FATHER
IN WORD	LORD JESUS	THROUGH HIM
OR DEED	GIVING	

How God Wants Us to Live
1 Thessalonians 5:13-22

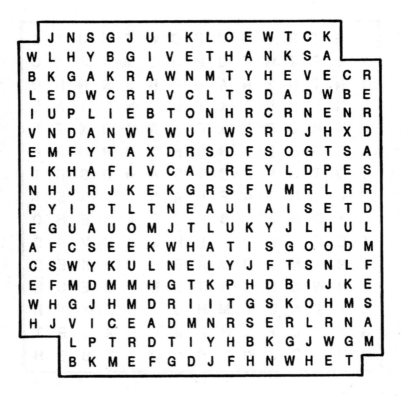

```
  J N S G J U I K L O E W T C K
W L H Y B G I V E T H A N K S A
B K G A K R A W N M T Y H E V E C R
L E D W C R H V C L T S D A D W B E
I U P L I E B T O N H R C R N E N R
V N D A N W L W U I W S R D J H X D
E M F Y T A X D R S D F S O G T S A
I K H A F I V C A D R E Y L D P E S
N H J R J K E K G R S F V M R L R R
P Y I P T L T N E A U I A I S E T D
E G U A U O M J T L U K Y J L H U L
A F C S E E K W H A T I S G O O D M
C S W Y K U L N E L Y J F T S N L F
E F M D M M H G T K P H D B I J K E
W H G J H M D R I I T G S K O H M S
H J V I C E A D M N R S E R L R N A
  L P T R D T I Y H B K G J W G M
  B K M E F G D J F H N W H E T
```

AVOID EVIL	ENCOURAGE THE TIMID	PRAY ALWAYS
BE KIND	GIVE THANKS	SEEK WHAT IS GOOD
BE JOYFUL	HELP THE WEAK	
BE PATIENT	LIVE IN PEACE	

Growing in Faith and Love
2 Thessalonians 1:3

```
            I  H  R  G  T  A  R  D  K  Y  D  L
            G  S  A  N  D  T  H  E  L  O  V  E
            H  S  I  K  R  D  H  K  I  U  E  S
            Y  D  G  N  H  A  S  F  O  R  H  Y
            T  S  L  P  C  Y  D  Y  S  F  F  A
            E  M  T  H  W  R  F  J  T  A  S  W
   T  O  T  H  A  N  K  G  O  D  B  O  E  S  H  I  J  L
   W  G  H  E  F  Y  R  W  S  J  E  X  V  A  N  T  K  A
   E  L  M  R  A  O  P  J  D  N  C  L  K  P  S  H  G  S
   O  P  L  O  W  I  R  G  O  R  A  P  Y  W  U  I  B  R
   U  E  P  M  L  T  V  Y  A  S  U  T  U  E  H  L  N  E
   G  R  R  D  P  L  R  L  O  I  S  G  R  O  W  I  N  G
   H  S  T  N  T  E  S  N  Y  U  E  E
   T  A  K  A  V  M  P  H  P  S  D  P
   J  L  P  E  A  C  H  O  T  H  E  R
   U  P  D  R  D  X  Y  P  R  P  J  K
   O  W  G  O  L  B  G  L  S  K  R  S
   P  E  T  M  E  C  S  G  J  L  H  T
```

WE OUGHT	YOUR FAITH	HAS FOR
ALWAYS	IS GROWING	EACH OTHER
TO THANK GOD	MORE AND MORE	IS INCREASING
FOR YOU	AND THE LOVE	
BECAUSE	EVERY ONE OF YOU	

Why Did Jesus Come to Our World?
1 Timothy 1:15

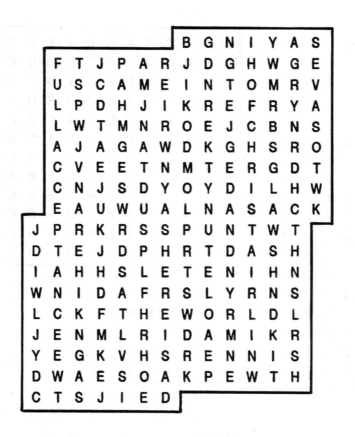

```
            B G N I Y A S
    F T J P A R J D G H W G E
    U S C A M E I N T O M R V
    L P D H J I K R E F R Y A
    L W T M N R O E J C B N S
    A J A G A W D K G H S R O
    C V E E T N M T E R G D T
    C N J S D Y O Y D I L H W
    E A U W U A L N A S A C K
  J P R K R S S P U N T W T
  D T E J D P H R T D A S H
  I A H H S L E T E N I H N
  W N I D A F R S L Y R N S
  L C K F T H E W O R L D L
  J E N M L R I D A M I K R
  Y E G K V H S R E N N I S
  D W A E S O A K P E W T H
  C T S J I E D
```

HERE IS A
TRUSTWORTHY
SAYING
THAT DESERVES

FULL ACCEPTANCE
CHRIST
JESUS
CAME INTO

THE WORLD
TO SAVE
SINNERS

How God's Word Helps Us
2 Timothy 3:16

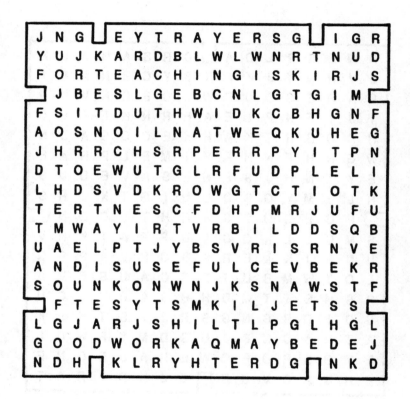

```
J N G   E Y T R A Y E R S G   I G R
Y U J K A R D B L W L W N R T N U D
F O R T E A C H I N G I S K I R J S
  J B E S L G E B C N L G T G I M
F S I T D U T H W I D K C B H G N F
A O S N O I L N A T W E Q K U H E G
J H R R C H S R P E R R P Y I T P N
D T O E W U T G L R F U D P L E L I
L H D S V D K R O W G T C T I O T K
T E R T N E S C F D H P M R J U F U
T M W A Y I R T V R B I L D D S Q B
U A E L P T J Y B S V R I S R N V E
A N D I S U S E F U L C E V B E K R
S O U N K O N W N J K S N A W S T F
  F T E S Y T S M K I L J E T S S
L G J A R J S H I L T L P G L H G L
G O O D W O R K A Q M A Y B E D E J
N D H   K L R Y H T E R D G   N K D
```

ALL SCRIPTURE	CORRECTING	THOROUGHLY
IS GOD	AND TRAINING	EQUIPPED
BREATHED	IN RIGHTEOUSNESS	FOR EVERY
AND IS USEFUL	SO THAT	GOOD WORK
FOR TEACHING	THE MAN OF GOD	
REBUKING	MAY BE	

God's Great Mercy
Titus 3:4-5

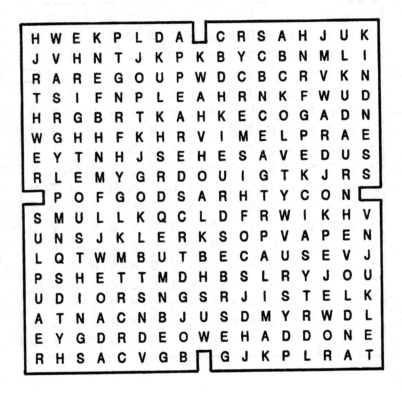

```
H  W  E  K  P  L  D  A     C  R  S  A  H  J  U  K
J  V  H  N  T  J  K  P  K  B  Y  C  B  N  M  L  I
R  A  R  E  G  O  U  P  W  D  C  B  C  R  V  K  N
T  S  I  F  N  P  L  E  A  H  R  N  K  F  W  U  D
H  R  G  B  R  T  K  A  H  K  E  C  O  G  A  D  N
W  G  H  H  F  K  H  R  V  I  M  E  L  P  R  A  E
E  Y  T  N  H  J  S  E  H  E  S  A  V  E  D  U  S
R  L  E  M  Y  G  R  D  O  U  I  G  T  K  J  R  S
   P  O  F  G  O  D  S  A  R  H  T  Y  C  O  N
S  M  U  L  L  K  Q  C  L  D  F  R  W  I  K  H  V
U  N  S  J  K  L  E  R  K  S  O  P  V  A  P  E  N
L  Q  T  W  M  B  U  T  B  E  C  A  U  S  E  V  J
P  S  H  E  T  T  M  D  H  B  S  L  R  Y  J  O  U
U  D  I  O  R  S  N  G  S  R  J  I  S  T  E  L  K
A  T  N  A  C  N  B  J  U  S  D  M  Y  R  W  D  L
E  Y  G  D  R  D  E  O  W  E  H  A  D  D  O  N  E
R  H  S  A  C  V  G  B     G  J  K  P  L  R  A  T
```

WHEN THE	OUR SAVIOR	RIGHTEOUS THINGS
KINDNESS	APPEARED	WE HAD DONE
AND LOVE	HE SAVED US	BUT BECAUSE
OF GOD	NOT BECAUSE OF	OF HIS MERCY

Thank God for Your Friends
Philemon 4

					U	Y	K
				J	O	D	R
				N	Y	E	U
				T	B	J	
		I	R	M			
	S	N	E	Y			
	L	M	C	G			
P	E	Y	I	O			
R	H	R	T	D	K	N	
A	S	I	W	N			
Y	C	P	A				
E	R	H	K	E			
J	R	T	C	R	K	H	
P	S	Y	A	W	L	A	I
F			I	O	P		

ALWAYS

THANK

MY GOD

AS I

REMEMBER

YOU

IN MY

PRAYERS

97

People Who Trusted God in Good Times and Bad

Hebrews 11

```
T  S  G  H  Y  I  E  S  C  R  D  J  A  C  O  B  R  W  T  J
R  A  J  K  W  N  G  J  L  E  N  G  W  P  T  D  A  B  K  M
K  M  G  T  Q  J  U  O  D  G  R  I  C  L  S  F  C  R  L  H
J  U  R  H  E  T  D  S  W  P  S  D  R  E  Y  O  H  W  A  B
P  E  B  W  P  A  B  E  L  K  J  E  S  R  Q  I  A  H  T  K
R  L  P  R  N  L  W  P  G  T  L  O  A  L  P  L  O  F  M  G
U  H  T  H  R  U  O  H  L  R  M  N  P  T  I  E  N  O  C  H
K  P  K  O  T  B  P  N  P  F  B  E  T  E  S  A  C  L  W  T
R  T  S  H  L  H  L  L  O  W  K  H  W  P  R  R  I  N  H  S
D  I  V  A  D  I  A  S  R  L  P  T  G  I  A  E  T  R  U  L
A  G  Y  J  K  L  T  H  E  P  R  O  P  H  E  T  S  W  K  D
J  B  N  L  V  N  R  P  T  H  D  U  N  J  L  G  E  T  E  T
S  N  K  T  E  W  D  S  E  J  S  D  K  U  R  J  S  J  B  N
A  E  J  R  T  P  R  T  A  G  L  A  T  H  L  C  O  Y  M  A
M  W  A  N  A  J  N  W  C  L  A  B  R  A  H  A  M  P  U  Y
S  P  R  K  S  H  B  A  J  P  L  E  M  A  I  T  R  H  E  P
O  H  E  T  L  W  A  K  R  L  S  A  U  I  H  K  S  J  T  L
N  K  T  M  R  S  M  B  A  C  T  L  D  J  D  O  K  R  B  J
R  D  A  B  I  T  O  L  R  N  Y  R  G  W  J  S  L  F  X  D
```

ABEL	ISRAEL	PARENTS OF MOSES
ABRAHAM	JACOB	RAHAB
BARAK	JEPHTHAH	SAMSON
DAVID	JOSEPH	SAMUEL
ENOCH	JOSHUA	SARAH
GIDEON	MOSES	THE PROPHETS
ISAAC	NOAH	

God Loves to Bless His People

James 1:17

```
R  A  J  E  V  E  R  Y  L  E  K  T  W  R  J  G  L  P
J  L  U  Q  H  T  H  L  C  P  W  L  T  O  F  T  H  E
C  F  I  L  R  D  S  N  J  G  H  Y  E  Q  N  S  V  R
H  K  W  G  T  N  I  E  S  K  O  F  M  C  L  O  B  F
S  Y  R  S  H  J  R  V  H  F  D  L  G  H  B  W  I  E
L  I  K  E  S  T  L  A  I  G  O  O  D  A  N  D  N  C
R  S  D  R  O  D  S  E  B  N  E  R  O  N  R  G  E  T
U  F  Y  P  W  H  M  H  W  L  S  J  Q  G  J  I  R  S
J  R  W  L  A  E  Q  G  I  R  N  C  U  E  S  N  E  T
K  O  F  D  R  B  A  N  P  F  O  W  Y  R  H  T  H  L
R  M  O  V  O  I  F  R  O  M  T  H  E  M  I  K  T  W
Y  W  S  H  U  W  S  D  A  H  W  I  K  S  M  F  A  Q
S  T  C  O  M  I  N  G  E  L  U  L  N  T  I  A  F  J
W  R  U  P  L  E  W  Q  T  G  C  J  D  G  C  Y  T  R
```

EVERY	COMING	LIGHTS
GOOD AND	DOWN	WHO DOES NOT
PERFECT	FROM THE	CHANGE
GIFT	FATHER	LIKE
IS FROM	OF THE	SHIFTING
ABOVE	HEAVENLY	SHADOWS

The Right Attitude
1 Peter 5:5

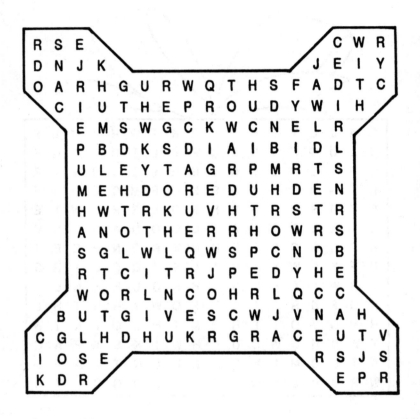

```
R S E                           C W R
D N J K                     J E I Y
O A R H G U R W Q T H S F A D T C
  C I U T H E P R O U D Y W I H
    E M S W G C K W C N E L R
    P B D K S D I A I B I D L
    U L E Y T A G R P M R T S
    M E H D O R E D U H D E N
    H W T R K U V H T R S T R
    A N O T H E R R H O W R S
    S G L W L Q W S P C N D B
    R T C I T R J P E D Y H E
    W O R L N C O H R L Q C C
  B U T G I V E S C W J V N A H
C G L H D H U K R G R A C E U T V
I O S E                     R S J S
K D R                       E P R
```

CLOTHE	ONE	THE PROUD
YOURSELVES	ANOTHER	BUT GIVES
WITH	BECAUSE	GRACE
HUMILITY	GOD	TO THE
TOWARD	OPPOSES	HUMBLE

God's Great Patience
2 Peter 3:9

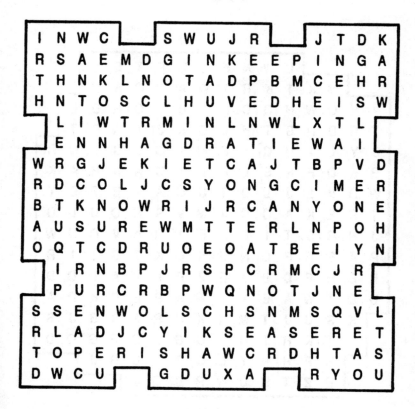

```
I  N  W  C        S  W  U  J  R        J  T  D  K
R  S  A  E  M  D  G  I  N  K  E  E  P  I  N  G  A
T  H  N  K  L  N  O  T  A  D  P  B  M  C  E  H  R
H  N  T  O  S  C  L  H  U  V  E  D  H  E  I  S  W
   L  I  W  T  R  M  I  N  L  N  W  L  X  T  L
   E  N  N  H  A  G  D  R  A  T  I  E  W  A  I
W  R  G  J  E  K  I  E  T  C  A  J  T  B  P  V  D
R  D  C  O  L  J  C  S  Y  O  N  G  C  I  M  E  R
B  T  K  N  O  W  R  I  J  R  C  A  N  Y  O  N  E
A  U  S  U  R  E  W  M  T  T  E  R  L  N  P  O  H
O  Q  T  C  D  R  U  O  E  O  A  T  B  E  I  Y  N
   I  R  N  B  P  J  R  S  P  C  R  M  C  J  R
   P  U  R  C  R  B  P  W  Q  N  O  T  J  N  E
S  S  E  N  W  O  L  S  C  H  S  N  M  S  Q  V  L
R  L  A  D  J  C  Y  I  K  S  E  A  S  E  R  E  T
T  O  P  E  R  I  S  H  A  W  C  R  D  H  T  A  S
D  W  C  U        G  D  U  X  A        R  Y  O  U
```

THE LORD	SLOWNESS	ANYONE
IS NOT	HE IS	TO PERISH
SLOW	PATIENT	BUT
IN KEEPING	WITH	EVERYONE
HIS PROMISE	YOU	TO COME TO
AS SOME	NOT	REPENTANCE
UNDERSTAND	WANTING	

101

We Are Children of God
1 John 3:1

```
      L W N E L G R T S L
      M K T K R Y W A G Q A M
  V H O W H Q C K S B V O H D L
  T R D R S T H L D K J I W P T
  S Y L I U G I E M I Q L S I C R
  R K O P K S L R L Y U A N H A K
  W D V L J L D T U Q A T B F E Y
  T R E K A G R J M V S H O U L D
  J H G C T I E P E I R A V D U W
  P A E R P O N U S O K T G T I R
  R B H F D L J R Z P L W A L O D
  D G I W A E Y I M W P E D K P A
    K S U J T M N X H R A S B J S
    L T K R I H P O G L O F G O D
      H P H N Y E C T A D R J
      E Z T H U W R S O C
```

HOW	HAS	BE CALLED
GREAT	LAVISHED	CHILDREN
IS THE	ON US	OF GOD
LOVE	THAT WE	
THE FATHER	SHOULD	

Love and Obedience
2 John 6

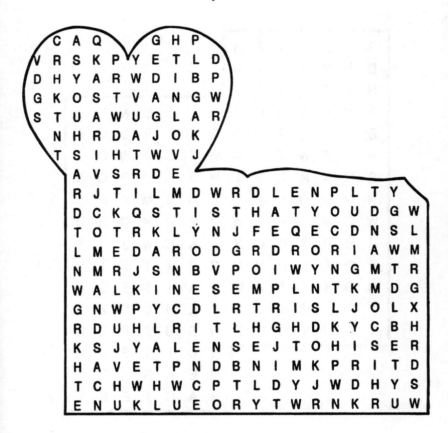

```
  C A Q     G H P
V R S K P Y E T L D
D H Y A R W D I B P
G K O S T V A N G W
S T U A W U G L A R
  N H R D A J O K
  T S I H T W V J
    A V S R D E
    R J T I L M D W R D L E N P L T Y
    D C K Q S T I S T H A T Y O U D G W
    T O T R K L Y N J F E Q E C D N S L
    L M E D A R O D G R D R O R I A W M
    N M R J S N B V P O I W Y N G M T R
    W A L K I N E S E M P L N T K M D G
    G N W P Y C D L R T R I S L J O L X
    R D U H L R I T L H G H D K Y C B H
    K S J Y A L E N S E J T O H I S E R
    H A V E T P N D B N I M K P R I T D
    T C H W H W C P T L D Y J W D H Y S
    E N U K L U E O R Y T W R N K R U W
```

THIS IS LOVE	COMMANDS	BEGINNING
THAT WE	AS YOU	HIS COMMAND
WALK IN	HAVE	IS THAT YOU
OBEDIENCE	HEARD	WALK
TO HIS	FROM THE	IN LOVE

Good Is from God
3 John 11

```
R  L  C  I  T  B  W
D  W  Y  J  M  L  N
H  I  F  H  H  I  P
P  L  R  E  M  C  T  K  E  W  G  N  Y  J
E  V  I  L  T  V  G  A  Q  D  E  O  C  P
R  T  E  W  Y  P  R  W  T  O  J  W  O  L
S  R  N  P  L  M  F  H  J  E  Q  P  G  D
N  G  D  O  N  O  T  L  N  S  M  Y  W  B
W  C  M  L  H  W  A  O  B  W  H  O  H  U
J  H  R  T  K  C  Y  I  K  H  N  J  J  T
P  D  A  J  R  N  H  C  P  A  T  F  I  H
R  G  K  T  A  K  W  H  A  T  I  S  S  W
J  O  P  R  I  D  R  B  L  N  G  D  F  T
Y  D  R  K  A  S  P  W  C  O  S  K  R  G
                     N  O  I  T  B  O  L
                     D  E  A  R  H  M  X
                     R  A  C  I  E  K  Y
```

DEAR	EVIL	WHO
FRIEND	BUT	DOES WHAT
DO NOT	WHAT IS	IS GOOD
IMITATE	GOOD	IS FROM
WHAT IS	ANYONE	GOD

Our Great God and Savior
Jude 25

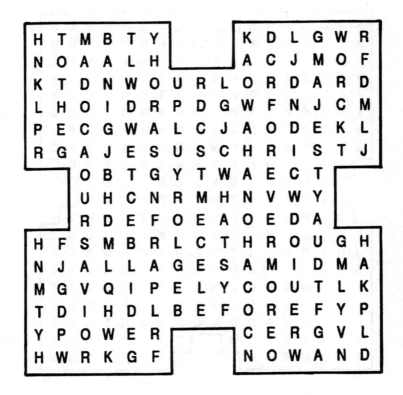

```
H  T  M  B  T  Y        K  D  L  G  W  R
N  O  A  A  L  H        A  C  J  M  O  F
K  T  D  N  W  O  U  R  L  O  R  D  A  R  D
L  H  O  I  D  R  P  D  G  W  F  N  J  C  M
P  E  C  G  W  A  L  C  J  A  O  D  E  K  L
R  G  A  J  E  S  U  S  C  H  R  I  S  T  J
      O  B  T  G  Y  T  W  A  E  C  T
      U  H  C  N  R  M  H  N  V  W  Y
      R  D  E  F  O  E  A  O  E  D  A
H  F  S  M  B  R  L  C  T  H  R  O  U  G  H
N  J  A  L  L  A  G  E  S  A  M  I  D  M  A
M  G  V  Q  I  P  E  L  Y  C  O  U  T  L  K
T  D  I  H  D  L  B  E  F  O  R  E  F  Y  P
Y  P  O  W  E  R        C  E  R  G  V  L
H  W  R  K  G  F        N  O  W  A  N  D
```

TO THE	POWER	ALL AGES
ONLY	AND AUTHORITY	NOW AND
GOD	THROUGH	FOREVERMORE
OUR SAVIOR	JESUS CHRIST	AMEN
BE GLORY	OUR LORD	
MAJESTY	BEFORE	

Jesus Is Coming Again!
Revelation 19:11–20:6

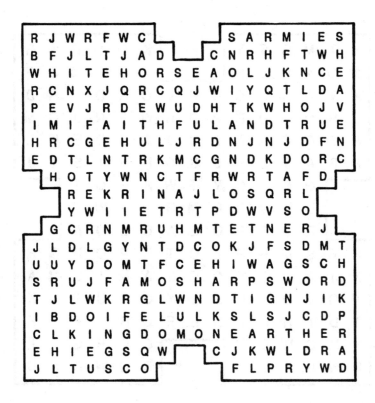

```
R  J  W  R  F  W  C           S  A  R  M  I  E  S
B  F  J  L  T  J  A  D     C  N  R  H  F  T  W  H
W  H  I  T  E  H  O  R  S  E  A  O  L  J  K  N  C  E
R  C  N  X  J  Q  R  C  Q  J  W  I  Y  Q  T  L  D  A
P  E  V  J  R  D  E  W  U  D  H  T  K  W  H  O  J  V
I  M  I  F  A  I  T  H  F  U  L  A  N  D  T  R  U  E
H  R  C  G  E  H  U  L  J  R  D  N  J  N  J  D  F  N
E  D  T  L  N  T  R  K  M  C  G  N  D  K  D  O  R  C
   H  O  T  Y  W  N  C  T  F  R  W  R  T  A  F  D
   R  E  K  R  I  N  A  J  L  O  S  Q  R  L
   Y  W  I  I  E  T  R  T  P  D  W  V  S  O
   G  C  R  N  M  R  U  H  M  T  E  T  N  E  R  J
J  L  D  L  G  Y  N  T  D  C  O  K  J  F  S  D  M  T
U  U  Y  D  O  M  T  F  C  E  H  I  W  A  G  S  C  H
S  R  U  J  F  A  M  O  S  H  A  R  P  S  W  O  R  D
T  J  L  W  K  R  G  L  W  N  D  T  I  G  N  J  I  K
I  B  D  O  I  F  E  L  U  L  K  S  L  S  J  C  D  P
C  L  K  I  N  G  D  O  M  O  N  E  A  R  T  H  E  R
E  H  I  E  G  S  Q  W     C  J  K  W  L  D  R  A
J  L  T  U  S  C  O        F  L  P  R  Y  W  D
```

ARMIES	JUSTICE	SHARP SWORD
CROWNS	KINGDOM ON EARTH	STRIKE DOWN
FAITHFUL	KING OF KINGS	NATIONS
AND TRUE	LORD OF LORDS	VICTORY
FOLLOW	REIGN WITH CHRIST	WAR
HEAVEN	RETURN	WHITE HORSE
JUDGMENT	RIDER	

106

A New Heaven and New Earth
Revelation 21:1–22:6

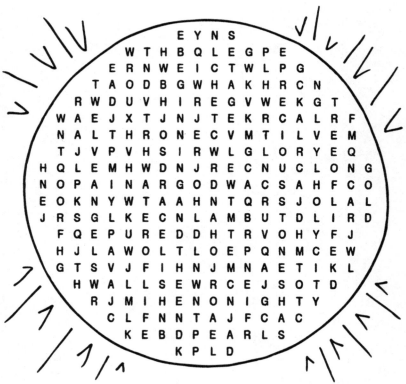

```
                    E Y N S
                W T H B Q L E G P E
              E R N W E I C T W L P G
            T A O D B G W H A K H R C N
          R W D U V H I R E G V W E K G T
        W A E J X T J N J T E K R C A L R F
        N A L T H R O N E C V M T I L V E M
        T J V P V H S I R W L G L O R Y E Q
      H Q L E M H W D N J R E C N U C L O N G
      N O P A I N A R G O D W A C S A H F C O
      E O K N Y W T A A H N T Q R S J O L A L
      J R S G L K E C N L A M B U T D L I R D
        F Q E P U R E D D H T R V O H Y F J
        H J L A W O L T L O E P Q N M C E W
        G T S V J F I H N J M N A E T I K L
        H W A L L S E W R C E J S O T D
          R J M I H E N O N I G H T Y
            C L F N N T A J F C A C
            K E B D P E A R L S
                K P L D
```

ALPHA AND OMEGA	NEW EARTH	PRECIOUS STONES
BEGINNING AND THE END	NEW HEAVEN	PURE
GLORY	NEW JERUSALEM	THRONE
GOD	NO DEATH	TREE OF LIFE
GOLD	NO NIGHT	TWELVE ANGELS
HOLY CITY	NO PAIN	TWELVE GATES
LAMB	NO SEA	WALLS
LIGHT	PEARLS	WATER OF LIFE

A New Heaven and a New Earth

Revelation 21:1-22:5

Page 5
The Old Testament

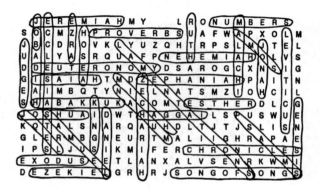

Page 6
In the Beginning . . .
Genesis 1-2

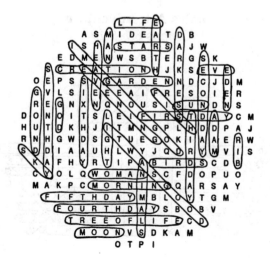

Page 7
The Garden of Eden
Genesis 3

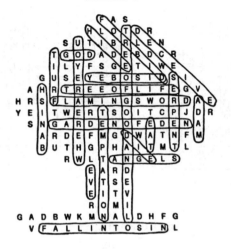

Page 8
Noah's Ark Adventure
Genesis 6:1–9:19

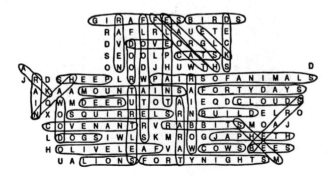

Page 9
God's Promise to Abraham
Genesis 12:1-9; 13:14-18; 15:1-6

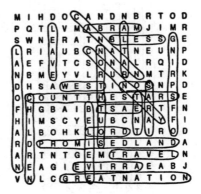

Page 10
Abraham Becomes a Father
Genesis 17:1–18:19; 21:1-8

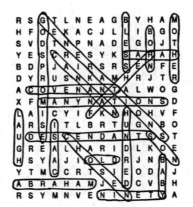

Page 11
A Wife for Isaac
Genesis 24

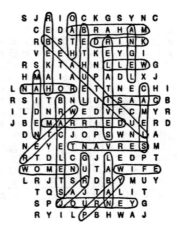

Page 12
Twins Esau and Jacob
Genesis 25:24–27:40

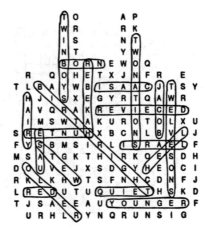

Page 13
Joseph: From Slave to Ruler
Genesis 37, 39-50

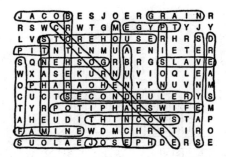

Page 14
The Baby in a Basket
Exodus 1:1–2:10

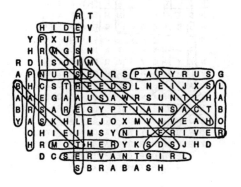

Page 15
Israel's Escape from Egypt
Exodus 5-14

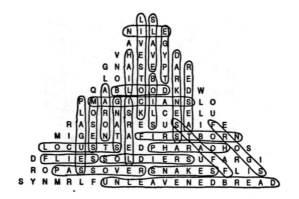

Page 16
Forty Years in the Wilderness
Exodus, Leviticus, Numbers, Deuteronomy

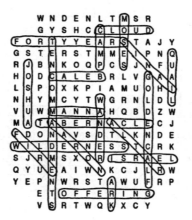

Page 17
Entering the Promised Land
Joshua 1-6

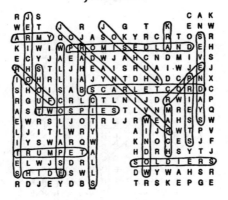

Page 18
The Twelve Tribes
Joshua

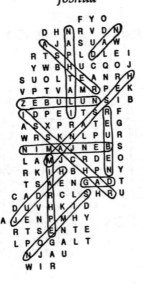

Page 19
Delivering Israel from Her Enemies
Judges

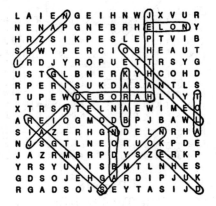

Page 20
Gideon's Amazing Victory
Judges 6-8

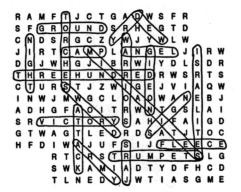

Page 21
Samson: The World's Strongest Man
Judges 13-16

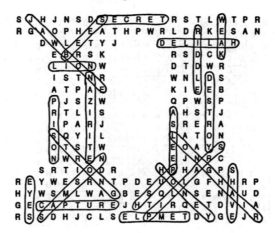

Page 22
Ruth: A Faithful Daughter-in-Law
Ruth

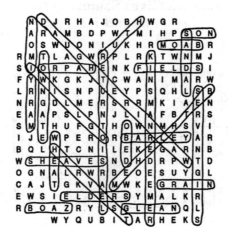

Page 23
Job: From Sorrow to Joy
Job

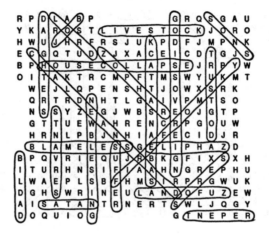

Page 24
Hannah Gives Samuel to God
1 Samuel 1-3

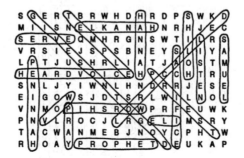

Page 25
Saul: Israel's First King
1 Samuel 8-15

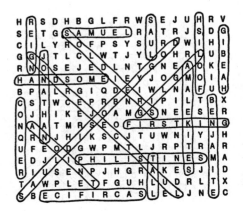

Page 26
David: Chosen by God
1 Samuel 16

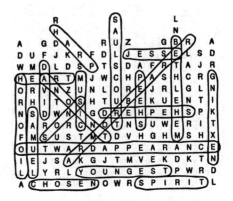

Page 27
Young David Meets a Giant
1 Samuel 17

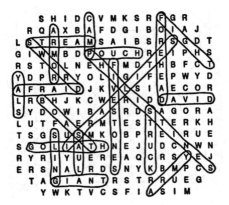

Page 28
David: The King Who Loved God
2 Samuel; 1 Chronicles 10-29

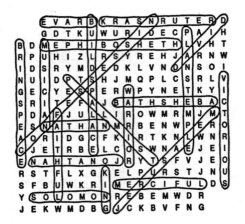

Page 29
Songs to the Lord
Psalms

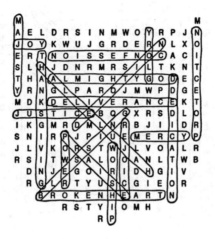

Page 30
The Great Wisdom of Solomon
Ecclesiastes, Proverbs, Song of Songs

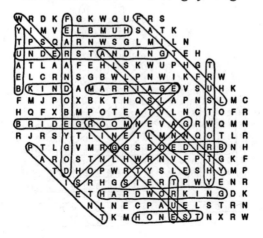

Page 31
Building a Temple for God
2 Chronicles 2-7

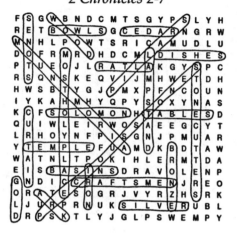

Page 32
The Ministry of Elijah
1 Kings 17-22; 2 Kings 1-2

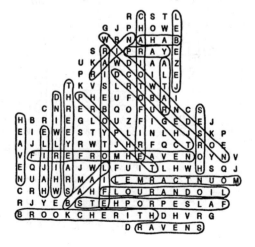

Page 33
The Ministry of Elisha
1 Kings 19; 2 Kings 2-13

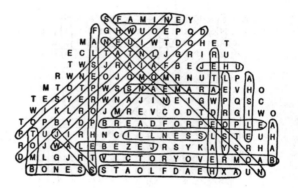

Page 34
Israel Divided: Kings of the North
1 & 2 Kings

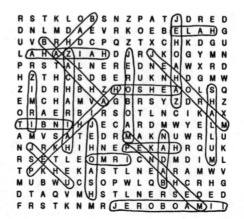

Page 35
Israel Divided: Kings of the South
1 & 2 Kings; 2 Chronicles

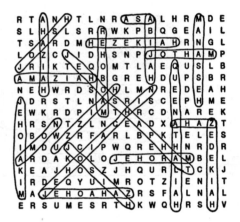

Page 36
The Coming Messiah
Isaiah 7:14; 9:6-7

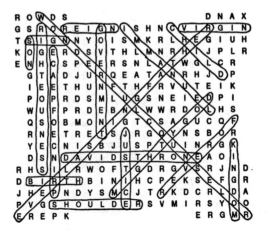

Page 37
God's Judgment Against the Nations
Isaiah 13-23; Ezekiel 25-32

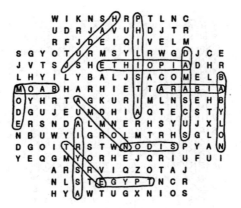

Page 38
Isaiah Describes the Future
Isaiah 62-66

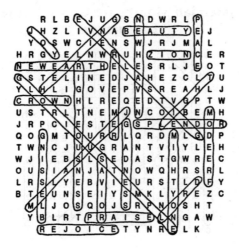

Page 39
Babylon Captures Jerusalem
Jeremiah 25:1-14; 39; 52

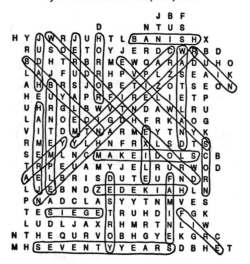

Page 40
Jeremiah Mourns for God's People
Lamentations

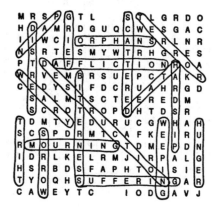

Page 41
Nebuchadnezzar's Dream About the Future
Daniel 2

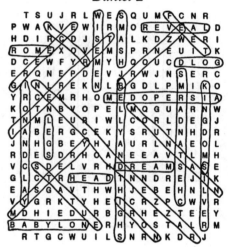

Page 42
Daniel's Three Friends in the Furnace
Daniel 3

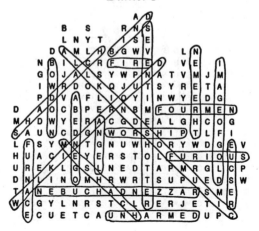

Page 43
A Night with the Lions
Daniel 6

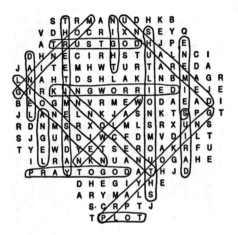

Page 44
The Queen Who Saved God's People
Esther

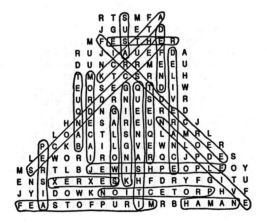

Page 45
Returning Home to Build the Temple
Ezra

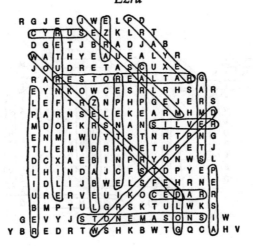

Page 46
Nehemiah Rebuilds the Walls of Jerusalem
Nehemiah 1-6

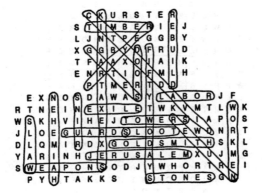

Page 47
A Fish Swallows Jonah
Jonah

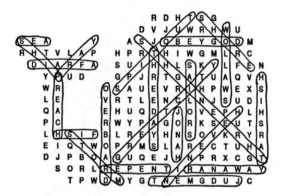

Page 48
The Last Twelve Prophets of the Old Testament

```
      L S T J H R U B E T D
    R Z E K I T M G R S K R G
  D W S O L A D A C H O T G R S
E K E R M W R N L S Z M R D L A H
J Q R D Z E P H A N I A H R W C R
R H A U I N L R C D H F K P M T J
E V E I P A Z S H R I A H O S E A
W F H A B H A C I M E R A K K A M
L E Y R D U W H A G G A I R J W G
K D R T T M L A O N D L R S H D R
I A M I T S R B L E H I A Z E J H
J D Z E R E A A J O N A H D L P A
E H I D T D B K E B L E C K K W D
U H E H I R I K D W J O E L B U R
  D R A W E Z U E R T D Z H G D
    H J O P Q K W Y H E J F E
      N J B T L R D G U W P
```

130

Page 49
The New Testament

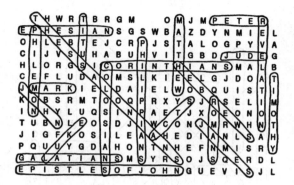

Page 50
The Birth of Jesus
Matthew 2:1-12; Luke 2:1-20

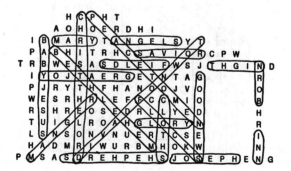

Page 51
A Visit from the Wise Men
Matthew 2:1-11

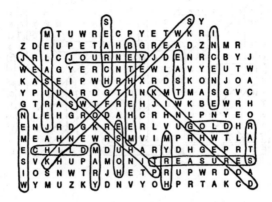

Page 52
The Boy Jesus Is Missing!
Luke 2:41-50

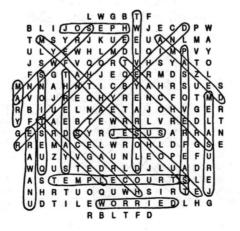

Page 53
John the Baptist
Matthew 3:1-17

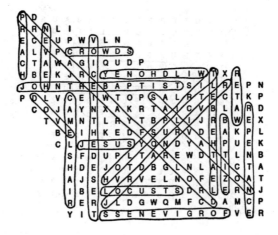

Page 54
Jesus' Victory over Temptation
Matthew 4:1-11; Luke 4:1-13

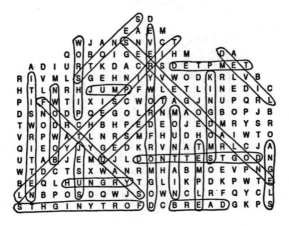

Page 55
The Twelve Disciples
Matthew 10:2-4

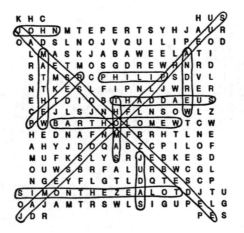

Page 56
Jesus' First Miracle
John 2:1-11

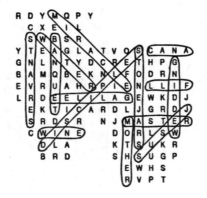

Page 57
Nicodemus Asks Jesus a Question
John 3:1-8

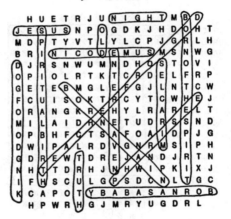

Page 58
The Gospel Message
John 3:16

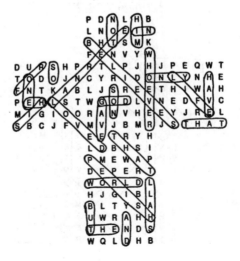

Page 59
Jesus Forgives a Paralyzed Man
Mark 2:3-12

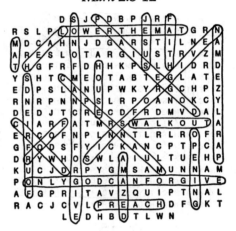

Page 60
The House on the Rock
Matthew 7:24-27

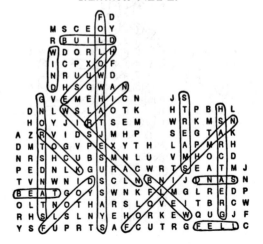

Page 61
Parable of the Sower
Matthew 13:3-8

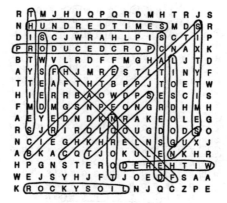

Page 62
The Pearl and the Treasure
Matthew 13:44-46

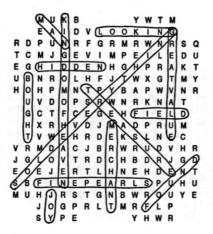

Page 63
Jesus Helps the Widow
Luke 7:11-17

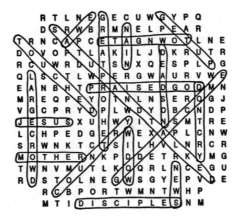

Page 64
Even the Sea Obeys Jesus!
Matthew 8:23-27; Mark 4:36-41

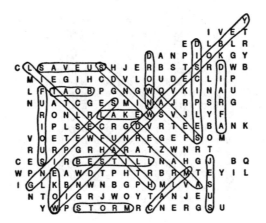

Page 65
Jesus Feeds the Crowd
Mark 6:30-44

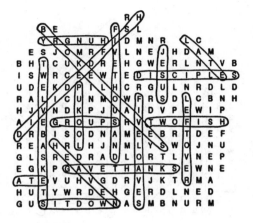

Page 66
Jesus Walks on Water
Matthew 14:23-33

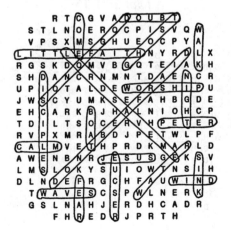

Page 67
Jesus Shows His Glory
Luke 9:28-36

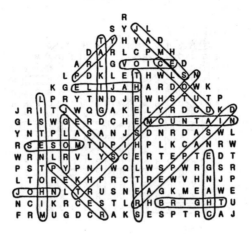

Page 68
Jesus the Great Shepherd
John 10:1-16

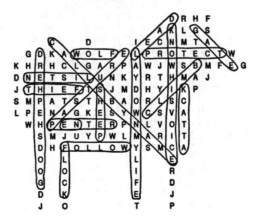

Page 69
A True Friend
Luke 10:30-37

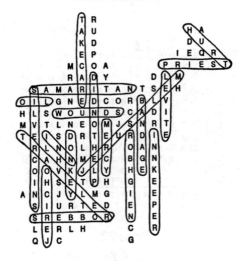

Page 70
Martha: Too Busy to Listen
Luke 10:38-42

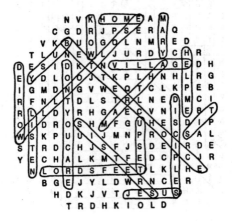

Page 71
The Lost Sheep
Luke 15:4-7

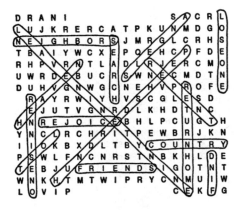

Page 72
The Prodigal Son
Luke 15:11-32

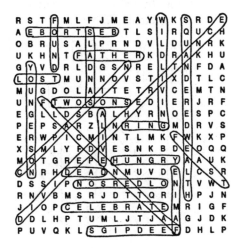

Page 73
Jesus Raises a Friend from the Dead
John 11:1-44

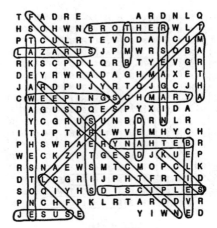

Page 74
The Proud Man and the Humble Man
Luke 18:9-14

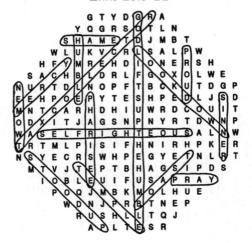

Page 75
The Blind Can See
Mark 10:46-52

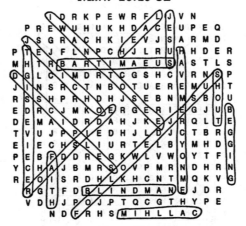

Page 76
Jesus Enters Jerusalem on a Donkey
Matthew 21:1-11

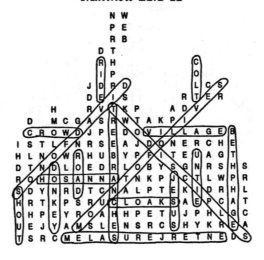

Page 77
The Widow Who Gave Everything
Mark 12:41-44

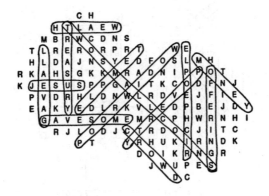

Page 78
The Last Supper
Matthew 26:20-29; Mark 14:12-25;
Luke 22:7-23; John 13:1-17

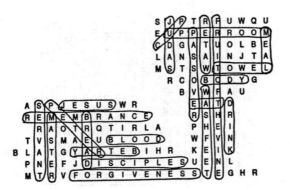

Page 79
Jesus' Arrest in the Garden
Matthew 26:36-56

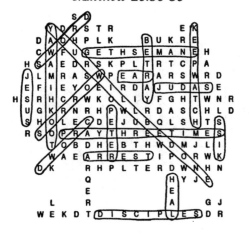

Page 80
Jesus on the Cross
Matthew 27:33-44; Mark 15:20-32;
Luke 23:33-43; John 19:17-24

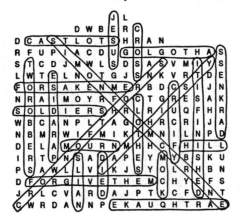

Page 81
He Is Risen!
John 20:1-20

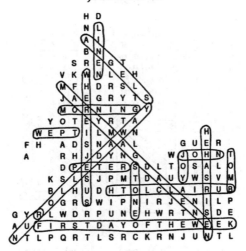

Page 82
Jesus Returns to Heaven
Matthew 28:16-20; Acts 1:8-11

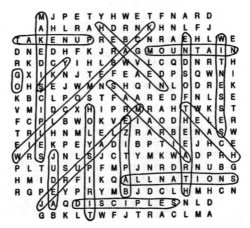

Page 83
A Bright Light on the Road
Acts 9:1-22

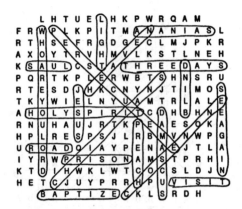

Page 84
Paul Tells People About Jesus
Acts 13-14

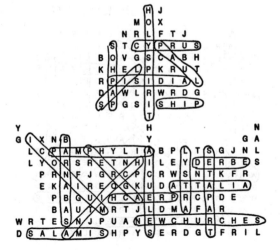

Page 85
Nothing Can Separate Us from Christ's Love!
Romans 8:37-39

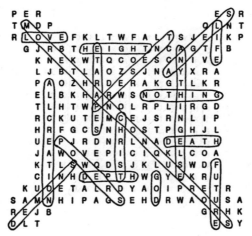

Page 86
God's Kind of Love
1 Corinthians 13:4-8

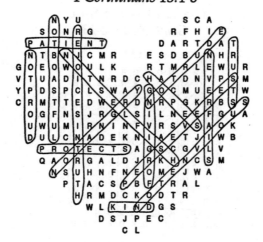

Page 87
Christ Makes Us into New People
2 Corinthians 5:17

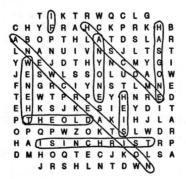

Page 88
The Fruit of the Spirit
Galatians 5:22-23

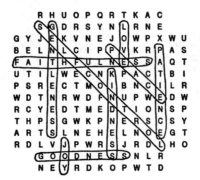

Page 89
A Gift from God
Ephesians 2:8-9

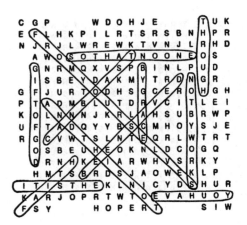

Page 90
The Right Kind of Thoughts
Philippians 4:8

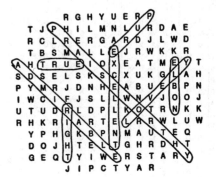

Page 91
Living for God
Colossians 3:17

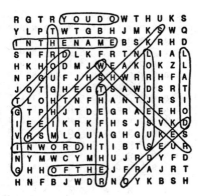

Page 92
How God Wants Us to Live
1 Thessalonians 5:13-22

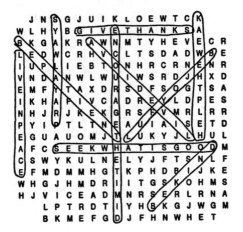

Page 93
Growing in Faith and Love
2 Thessalonians 1:3

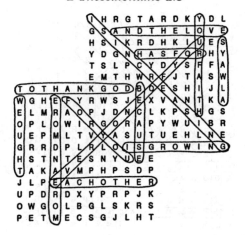

Page 94
Why Did Jessus Come to Our World?
1 Timothy 1:15

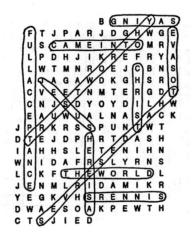

Page 95
How God's Word Helps Us
2 Timothy 3:16

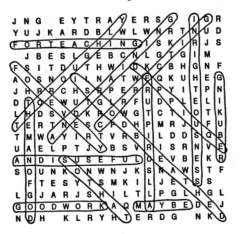

Page 96
God's Great Mercy
Titus 3:4-5

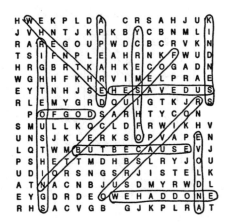

Page 97
Thank God for Your Friends
Philemon 4

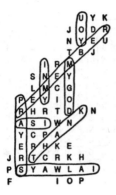

Page 98
People Who Trusted God
In Good Times and Bad
Hebrews 11

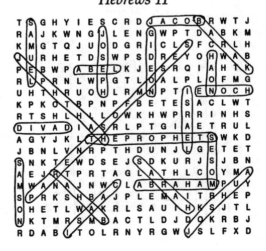

Page 99
God Loves to Bless His People
James 1:17

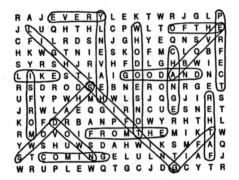

Page 100
The Right Attitude
1 Peter 5:5

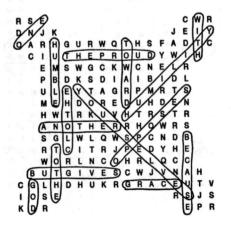

Page 101
God's Great Patience
2 Peter 3:9

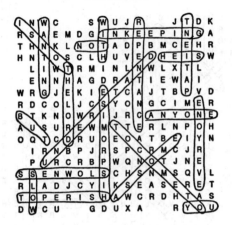

Page 102
We Are Children of God
1 John 3:1

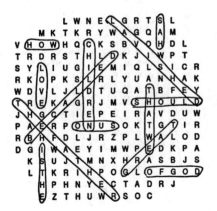

Page 103
Love and Obedience
2 John 6

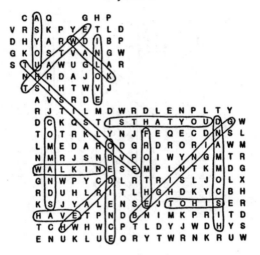

Page 104
Good Is from God
3 John 11

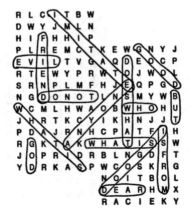

Page 105
Our Great God and Savior
Jude 25

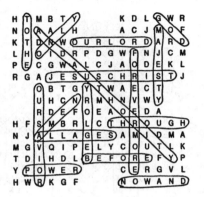

Page 106
Jesus Is Coming Again!
Revelation 19:11–20:6

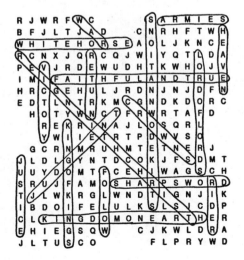

Page 107
A New Heaven and New Earth
Revelation 21:1–22:6

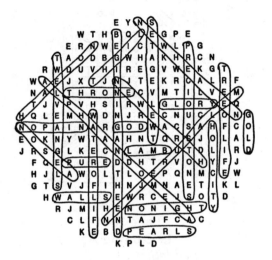

Watch for the next fun-filled book
in the **Take Me Through the Bible** *series . . .*

Memory Verse Games
for Kids

Filled with more than 100 exciting word games that
help bring Bible verses alive to children! Verses about:

- Our awesome God
- Jesus, our Savior
- Our helper, the Holy Spirit
- The wonders of salvation
- Our answer book, the Bible
- Loving our family and friends
- God's promises to His children

**To release from
Harvest House Publishers
in March 1997**

❖ ❖ ❖ ❖ ❖ ❖ ❖ ❖ ❖ ❖ ❖ ❖ ❖ ❖

If you would like to write Steve and Becky Miller
about the word search puzzles in this book,
you can write to them in care of:

Christian Family Bookshelf
P.O. Box 1011
Springfield, OR 97478

Or, call toll-free: 1-888-BOOK123
e-mail: srmbook123@aol.com